Tiny van der Plas

Het ultieme theezakjes jubileumboek

LA RIVIÈRE
CREATIEVE UITGEVERS

Inhoud

© 1998 La Rivière creatieve uitgevers, Baarn

Uitgever: Anja Timmerman
Redactie: CursOr Consultancy, Amsterdam
Fotografie: De Studio voor fotografie, Utrecht
Tekeningen: Tiny van der Plas, Tilburg
Omslagontwerp: Jan de Boer, Amsterdam
Zetwerk en lay-out: Studio Imago, Amersfoort

ISBN 90 384 1374 5
NUGI 440

Inleiding

Dit had ik nooit durven dromen, een jubileumboek over 5 jaar vouwen met theezakjes. Toen in 1993 het boekje 'Originele wensideeën met theezakjes' uitkwam, was dat meteen, maar onverklaarbaar, een grandioos succes. Er moest dus al snel een tweede komen. Ook dat was weer een schot in de roos en de boekjes volgden elkaar in snel tempo op. In de reeks theezakjes boeken wordt dit al nummer 14. Zonder hulp van verschillende mensen, maar met name Henriëtte van Lunen en later ook Alice Boëtius, had ik dit nooit gered. Er is ook nog een andere hobby uit voortgekomen, namelijk het verzamelen van de verschillende theezakjes. Hier zijn heel veel mensen mee bezig en bijna overal waar ik kom, wordt onderling druk geruild of er worden adressen uitgewisseld. Het is een rare gedachte, dat alles tot stand is gekomen na dat eerste boekje eind 1993.

In dit boek staat dus de 5 centraal. Ik heb er ongeveer 5 weken lang iedere dag en vaak ook nachts aan gewerkt. Er zijn 5 verschillende technieken gebruikt bij de theezakjes. Er staan 5×5 verschillende modellen in. Ik heb 5 nieuwe borduurpatronen ontworpen, enz. enz. Na alle andere boekjes heb ik ook dit weer met erg veel plezier gemaakt en ik hoop dat iedereen die dit boek gaat gebruiken, weer heel creatief en plezierig met theezakjes bezig is.

Tiny van der Plas-van Nunen

Met dank aan

Met dank aan mijn hulp en rechterhand van het eerste uur Henriëtte van Lunen en natuurlijk mijn man Bert van der Plas. Ook Alice Boëtius bedankt voor het altijd klaar staan met raad en daad. Verder waardeer ik het ten zeerste dat ik van Jennie Morée de wijnfleshanger, van Hannie Priems het bloempotje en van Arja Burger het Zwalkje in dit boek mocht plaatsen.

Met medewerking van
Mariëtte Verhees art stamps, 's-Hertogenbosch
Fa. O. Harris/Comar, Almere
Fa. Vermes, Almere
Collall Lijmen, Stadskanaal
Fa. Kars, Ochten

Benodigdheden en algemene werkwijze

Theezakjes vouwen

Nodig

• snijmat • zoekmallen • hobbymesje • lijm, bijvoorbeeld witte knutsellijm en fotolijm van Collall • cocktailprikkers • potlood
• schaartje met fijne punt • gum • liniaal

Werkwijze

Vouwen

Om netjes te kunnen vouwen, moet het papiertje waarmee gewerkt wordt precies vierkant zijn. Vierkantjes worden gemaakt met metalen malletjes, die in een set van zeven verschillende maten verkrijgbaar zijn, de zogenaamde zoekmallen.
Bij de getekende modellen staat aangegeven op welke plaats het snijmalletje op het zakje gelegd moet worden. Als de tekening in het diagram wit is, moet de witte kant van het papiertje boven liggen. Is de tekening grijs, dan is daar de gekleurde kant mee bedoeld. De verschillende pijlen en lijnen geven aan welk soort vouw er gemaakt moet worden. Kijk altijd waar de pijl begint en waar hij naartoe wijst. Doe dan hetzelfde met het papiertje.

Lijmen

Lijm de gevouwen elementjes eerst in elkaar, voordat ze op de kaart geplakt worden. Gebruik maar heel weinig lijm, dan kan het meestal, als het niet goed zit, nog los gemaakt worden. Dat is ook het geval met fotolijm.
Lijm kan het beste opgebracht worden met een prikkertje. Voor grotere stukken papier werkt dubbelzijdig plakfolie het beste. Dat bobbelt niet, maar moet wel in een keer goed aangebracht worden, want vast is vast.

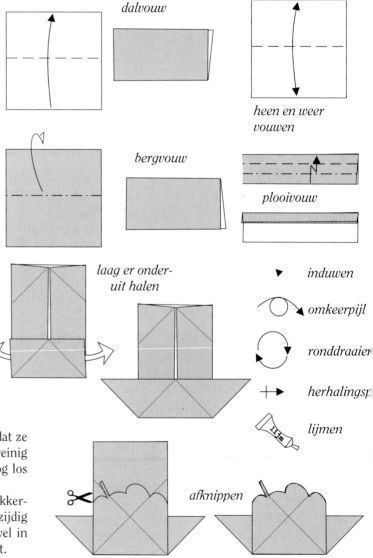

dalvouw

heen en weer vouwen

bergvouw

plooivouw

laag er onderuit halen

▼ induwen

omkeerpijl

ronddraaier

herhalingsp[

lijmen

afknippen

Stempelen

Nodig

• stempelinkt of stiften, bijvoorbeeld Le Plume • stempelliniaal nr. 420099 • embossingpoeder • verschillende stempels • heating tool (of andere warmtebron voor embossing poeder)

Werkwijze

Inkten en schoonmaken

De stempel kan op verschillende manieren geïnkt worden. Het meest voor de hand liggend is met een stempelkussen (stempeldoos). Deze zijn er in verschillende kleuren en soorten inkt. Langzaam en snel drogende inkt. Met stempelstiften kun je de stempel ook inkleuren. Er kunnen dan verschillende kleuren door en naast elkaar gebruikt worden. Als op de stempel nog embossingpoeder gebruikt wordt, moet langzaam drogende inkt gebruikt worden. Stempelstiften hebben meestal wat langzamer drogende inkt, omdat er de tijd moet zijn om de stempel in te kleuren.

Om te voorkomen dat er een verkeerd gekleurde stempel afgedrukt wordt, maak je de stempel na gebruik altijd schoon. Hiervoor zijn flesjes schoonmaakmiddel in de handel. Wrijf met een soort sponsdop die op het flesje zit over de stempel, zodat de inkt oplost. Dep daarna de stempel af op een doekje.

Op de goede plaats stempelen

Om een stempel netjes recht en met een goede afdruk op een kaart te krijgen valt niet altijd mee. Het lijkt makkelijker dan het is, maar met behulp van een stempelliniaal gaat het perfect. Met dit hulpstuk, dat speciaal ontwikkeld is door Mariëtte Verhees art stamps, heb je geen verknoeide kaarten meer.

Werk als volgt:

- Neem een stuk perkamentpapier, waarvan een hoek goed recht, dus 90° is.

- Leg het perkamentpapier met de rechte hoek in de hoek van de liniaal.
- Stempel de afdruk in de hoek van de liniaal op het perkamentpapier.
- Laat de afdruk drogen
- Bepaal nu met behulp van het perkamentpapier waar de afdruk op de kaart moet komen.
- Leg de liniaal dan weer tegen de eerder gebruikte hoek van het perkamentpapier.
- Haal, zonder de liniaal te verschuiven, het perkamentpapier weg.
- Zet nu de stempel tegen de hoek van de liniaal.
- Kijk of de afdruk goed is. Als dat niet het geval is, dan nogmaals de stempel afdrukken op dezelfde plaats.

Achtergrondteksten stempelen

Om repeterend te stempelen zoals bij de achtergrondteksten, is de liniaal onmisbaar. Ook hiervoor bepaal je steeds met het transparant de plaats van de liniaal, zodat de tekst goed verdeeld op de kaart komt te staan. Achtergrondteksten kunnen over de hele kaart gestempeld worden, maar er kunnen ook uitsparingen in de tekst gemaakt worden. Leg hiervoor een in een vorm geknipt papiertje (masker) op de kaart. Om schuiven te voorkomen, kan het met wat dun opgebrachte fotolijm op de kaart worden vastgezet. Stempel dan de achtergrond teksten op de kaart. Stempel over het masker heen. Is de kaart gestempeld, haal dan het masker weg.

Embossen met poeder

Hiervoor zijn nodig stempels, langzaam drogende stempelinkt of stempelstiften, embossingpoeder en een heatingtool. Dit laatste kan een originele zijn, maar ook bijvoorbeeld een broodrooster of warmteplaatje voldoen hiervoor. Be-inkt de stempel met een kussen of een stift en druk deze af op de kaart. Strooi embossingpoeder over de afdruk. Schudt het overtollige poeder eraf op een velletje papier. Kijk goed dat er geen poeder meer op plaatsten zit waar het niet moet. Verhit dan de afdruk door er met de heatingtool overheen te blazen, tot het poeder gekristalliseerd is. Gebruik je hiervoor een broodrooster of warmteplaatje, houdt de afdruk er dan een stukje boven. Let wel op voor verbrande vingers.

Embossing

Nodig
• lichtbakje • verschillende embossingstencils • embossingpen

Werkwijze
Embossing en embossingpoeder
Embossen met een lichtbak en embossen met poeder zijn twee heel verschillende manieren en technieken. Ze hebben alleen dezelfde naam.

Embossen met een lichtbak
Daar is voor nodig een embossingpen, embossingstencils en natuurlijk een lichtbakje. De kaart die je gebruikt moet ook van een beetje zacht papier zijn. Als het een te stugge kaart is gaat deze breken. Leg de embossingmal op de lichtbak (eventueel met een stukje tape vastzetten). Leg de kaart er met de goede kant naar beneden op. De afbeelding van het stencil schijnt nu door de kaart. Ga met de embossingpen langs de randen van de afbeelding. Oefen enige druk uit op de pen, maar druk niet te hard, ga er eventueel twee keer langs. De afbeelding staat nu op de kaart.

3D

Nodig
• 3D-kit of dubbelzijdig foamplakband • schaartje met fijne punt • cocktailprikker • bolpen

Werkwijze
Met deze techniek maak je iets ruimtelijk en dus 3-dimensionaal, afgekort tot 3D-techniek. De kleine plaatjes op de theezakjes zijn hier ook heel geschikt voor. Een 3D-afbeelding bestaat meestal uit 5 lagen, dus heb je 5 dezelfde zakjes nodig. Door bij iedere laag iets weg te laten ontstaat het diepte-effect. De lagen worden op elkaar gemaakt met kleine dotjes 3D-kit (dit is een siliconenkit) of met dubbelzijdig foamplakband. Dotjes kit kun je gemakkelijk opbrengen met een prikker. Gebruik voor het knippen een schaartje met een fijne punt. Begin met een hele afbeelding uit te knippen. Smeer deze dun in met witte lijm en plak hem op de gewenste plaats op de kaart. Knip dan de volgende lagen. Het ligt aan de afbeelding of er 3 of 4 lagen geknipt kunnen worden. Staat er maar weinig op, dan zullen het er maar 3 zijn. Laat steeds iets meer weg van wat helemaal achteraan op de afbeelding staat. Als alle delen geknipt zijn, kunnen ze nog wat bol gemaakt worden. Leg ze met de goede kant naar beneden op een zachte ondergrond en ga er voorzichtig rondjes draaiend overheen met een bolpen. Plak nu kleine stukjes foamplakband, of doe kleine dotjes kit op de tweede afbeelding. Leg deze precies op het al opgeplakte stuk. Werk alle lagen op deze manier op elkaar. Als er kit gebruikt is moet je de kaart goed laten drogen.

Zandschilderen

Nodig
• dubbelzijdig plakfolie • verschillende kleuren zand

Werkwijze
Gebruik dubbelzijdig plakfolie of als het een smal stukje moet zijn dubbelzijdig plakband om het zand op te strooien. Knip uit het plakfolie de vorm die op de kaart moet komen. Haal er aan een kant de beschermende laag papier af en plak de vorm op de kaart. Leg nu eerst het vouwsel op het plakfolie. Let op, dit kan niet meer verschoven worden. Leg een A4-vel papier onder de

kaart en strooi het zand op het folie. Schud het overtollige zand weer terug in het potje (vouw het vel papier tot een soort trechter). Als je twee kleuren zand wilt mengen, strooi dan eerst de lichtste kleur op het folie. Doe dit met een theelepeltje. Houd het lepeltje hoog boven de kaart en strooi voorzichtig. Hoe hoger je het lepeltje houdt, hoe verder het zand uitwaaiert. De kaart afschudden, het zand terug in het potje doen en de tweede kleur strooien.

Borduren

Nodig
• prikpen (perkamentpen) • prikmat • borduurnaald milward nr. 10 • borduurgaren Sulky of Madeira • plakband • vouwbeen • paperclips

Werkwijze
Maak een kopie van het borduurpatroon dat je wilt gebruiken. Leg de kaart open en leg het patroon op de bovenkant van de kaart. Zorg dat het goed recht ligt. Zet het patroon met behulp van paperclips op de kaart vast. Leg dit vervolgens op de priklap en prik alle puntjes precies door. Gebruik hiervoor een dunne priknaald, bijvoorbeeld een perkament-prikpen. Houd de priknaald tijdens het prikken zoveel mogelijk rechtop. Laat het patroon op de kaart zitten en controleer eerst of alle gaatjes geprikt zijn. Houd hiervoor de kaart met het patroon tegen het licht. Als alle gaatjes erin zitten, kan het patroon eraf. Als je twee kaarten met hetzelfde patroon wilt maken, kun je deze tegelijk prikken door een stuk sieradenrubber (2 mm dik) op je priklap te leggen. Leg dan de twee kaarten precies op elkaar en zet ze met paperclips op elkaar vast. Zet het begin van de bor-

duurdraad met plakband op de achterkant van de kaart vast. Steek de naald in gaatje 1 van onder naar boven, ga naar het volgende gaatje en steek van boven naar onder. Alle draden die over de kaart lopen staan genummerd, bijvoorbeeld 1 – 8. De draden die aan de achterkant van de kaart lopen staan tussen haakjes, dus bijvoorbeeld (8 – 9). Werk zo het hele patroon af. Zet het eind van de borduurdraad ook weer met plakband op de achterkant vast.

Als je klaar bent met borduren, wrijf dan alle gaatjes aan de achterkant met een 3D-pen of rond voorwerp dicht. *Vergeet dit nooit!* Alle kaarten met een borduurpatroon worden aan de binnenkant afgewerkt met een schutvelletje.

Steelsteek

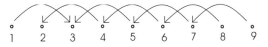

borduren: 1-3, (3-4), 4-2, (2-5), 5-3 (3-6), 6-4 (4-7), 7-5 (5-8), 8-6 (6-9)

Spansteek

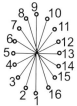

borduren: 1-9 (9-10), 10-2 (2-3), 3-11 (11-12), 12-4 (4-5), 5-13 (13-14), 14-6 (6-7), 7-15 (15-16), 16-18

Gouwe ouwe

In dit hoofdstuk zijn 5 al bekende modellen gebruikt, die er in een andere toepassing toch heel nieuw uitzien.

1. Zwalkje (marionet). Deze is afgeleid van de kusudama op het omslag van het eerste boekje. De pootjes van de marionet zijn samengesteld met modellen uit 'Toveren met theezakjes' en 'Kerst met theezakjes'.
2. Bloemen in potjes. Deze zijn gemaakt met de elementen van de bolletjes kusudama uit 'Natuurlijk Theezakjes'.
3. De bloemen op het boompje worden gemaakt van een element uit het boek 'Randen en versieringen'.
4. Dan natuurlijk het eerste vouwsel uit het eerste boekje, dat ook mijn allereerste theezakjesvouwsel was. Dit heeft zoveel mogelijkheden, dat het hier niet mag ontbreken.
5. Ook de waterbombasis(dubbele driehoek) is zo'n multifunctioneel model.

Zwalkje

Nodig

• citroen theezakjes 4 kops 5 × 5 cm • kop: 12 theezakjes • lijf: 30 theezakjes • nek: 15 theezakjes (5 kralen)
• poten: 48 theezakjes (16 kralen) • voeten: 8 theezakjes
• 2 wiebeloogjes • wat veertjes • 2 rietjes • nylondraad

Werkwijze

Zwalkje is gemaakt van citroentheezakjes maar ook van andere zakjes zoals de gewone gele en groene zakjes is hij heel erg leuk. Snijd de papiertjes altijd zo groot mogelijk en met zo min mogelijk tekst op het papiertje. Let er bij het vouwen op, dat bij tekening 1 de tekst aan de rechterkant ligt.
Vouw de kop, het lijf, alle kralen en de elementen voor

Zwalkje

de voeten. Neem een rietje van 13 en een van 9 cm. Maak in het langste rietje op 4 cm van de bovenkant een insnijding en schuif daar het korte rietje in, zodat een kruis ontstaat. Neem een lange nylondraad, plak het begin tussen de elementen van een voet en rijg 8 kralen aan, haal de draad achter langs een driehoek door het lijf en rijg weer 8 kralen aan. Zet het eind van de draad vast tussen de lagen van de tweede voet. Neem een nieuwe draad en maak deze in de kop vast. Dit gaat goed door aan het begin van de draad een kraal of een stukje karton te lijmen en dit in de kop te stoppen. Rijg dan 5 kralen voor de nek aan en zet het eind van de draad in het lijf vast, ook weer met een kraal of stukje karton. Maak een langere draad in de bovenkant van de kop vast, haal deze door het lange rietje en zet het eind in het achterwerk vast. Zet een tweede lange draad tussen de vierde en vijfde kraal van een poot vast, haal deze door het korte rietje en zet hem op dezelfde plaats aan de andere poot vast. Plak een paar veertjes op het achterwerk en op de kop van Zwalkje. Plak de wiebeloogjes op. Door te bewegen met de rietjes kan Zwalkje lopen.

Bloempotje *(zie afb. blz. 27 en 39)*

Nodig
• klein potje • oase voor droogbloemen • mos • groen papiertouw • groen bloemband • satéprikkers • 74 zomertheezakjes • zaaddoosjes van bijvoorbeeld juffertje in het groen • papiertouw

Werkwijze
Snijd voor het grootste bloemetje 18

papiertjes 4 × 4 cm volgens schema 1, dan voor de twee volgende bloemen 28 papiertjes 3,5 × 3,5 cm volgens schema 2 en 28 papiertjes 3 × 3 cm volgens schema 3. Vouw model 2. Maak een binnen- en een buitenbloem en schuif ze in elkaar.

Maak een bloem van de grootste papiertjes. Deze heeft 9 punten. Maak van de papiertjes van 3,5 cm twee bloemen van ieder 7 punten. Maak van de kleinste papiertjes twee bloemen van 5 punten en twee van 4 punten. Deze laatste zijn enkel. Duw de zaaddoosjes in het midden van de bloemen en zet ze eventueel met wat lijm vast. Steek een prikker onder in de bloem. Knip van papiertouw wat kleine blaadjes en plak er drie of vier aan de onderkant van de bloem. Draai het bloemband om de satéprikker en laat er hier en daar nog een blaadje uitkomen. Knip de prikkers op lengte af. Doe de oase in het potje, steek de bloemen erin en doe wat mos in het potje om de oase te bedekken.

Bloesemboom *(zie afb. blz. 27 en 39)*

Nodig
• houten boompje • groen lint • 40 theezakjes sinaasappel 1 kops met tekst • 6 theezakjes sinaasappel 4 kops

Werkwijze
De boom kun je het beste eerst vernissen of schilderen. Snijd de papiertjes van de 1 kops zakjes 4,7 × 4,7 cm en vouw model 3. Maak 5 rozetten en plak ze op de boom. Snijd de andere zakjes 5 × 5 cm volgens schema en vouw model 10. Plak deze als rand op de pot van de boom. Strik het lint om de stam.

Kaarten, kaarten, kaarten

Kaart met geborduurde theepot

Nodig
• dubbele kaart • borduurgaren Sulky nr. 7027
• 16 labeltjes

Knip de labeltjes langs het onderrandje en de zijrandjes uit. Leg de gekleurde kant boven en maak van onderaf twee diagonale vouwen. Dit is het vierkant dat je nodig hebt. Maak de vouwen verder zoals in het diagram (model 4). Zorg ervoor dat twee stokjes met een nootje boven liggen en knip hierlangs uit.
Neem het patroon op de kaart over volgens de algemene werkwijze. Borduur de omtrek van de theepot in steelsteek. Borduur de knop op het deksel in spansteek met daaromheen steelsteekjes. Borduur de rand in het midden van de theepot met de spansteek. Plak de vouwsels op de hoeken en verbind ze met een smal reepje van een stickervel.
Als er een vouwsel op de theepot wordt geplakt, de middenrand niet borduren.

Lichtgroene kaart met venster

Nodig
• dubbele kaart • perkamentpapier (Ortella) • schutvel
• 10 theezakjes braam, peer, zoethout • stempel nr. 420362 • embossingpoeder pearl green • viltstift Le Plume nr. 41

Werkwijze
Stempel het venster met zwarte inkt op het perkamentpapier.
Embos de afdruk met pearl green

embossingpoeder. Kleur op de achterkant van het perkamentpapier het venster in met de Le Plume viltstift.
Stempel het venster op de bovenkant van de kaart en snijd het iets groter uit. Plak het perkamentpapier met dubbelzijdig plakband in de kaart. Werk de binnenkant af met een schutvel, waarin natuurlijk ook de vensteropening uitgesneden is.
Snijd de papiertjes 4 × 4 cm volgens schema. Vouw model 5. Zorg ervoor dat de stokjes zoethout en de blaadjes boven zitten. Knip hierlangs uit en schuif de 8 elementjes linksom in elkaar. Zet ze met wat lijm vast. Plak het vouwsel op de linker onderhoek van het venster. Knip uit een theezakje de bramen met blaadjes en kaneelstokjes en uit het overgebleven zakje alleen de bramen met blaadjes. Plak deze midden boven het raam.

Kaart met perzikbloem

Nodig
• dubbele kaart • 8 theezakjes perzik 4 kops • 3 labeltjes

Werkwijze
Snijd de papiertjes 5 × 5 cm volgens schema. Zorg ervoor dat bij tekening 5 de onderkant van het zakje boven ligt en knip langs het blaadje en de vrucht. Schuif ze in elkaar met het blaadje boven. Neem het model van de kaart over en knip de rondingen uit. Teken met een tekenschaats verschillende lijnen op de onderkaart. Op de bovenkaart vanuit de uitsnijding nog 3 lijnen tekenen en op het eind daarvan de uit de labeltjes geknipte vruchtjes plakken.

Kaarten, kaarten, kaarten >

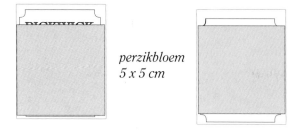

perzikbloem
5 x 5 cm

Kaart met perzikbloem en zand

Nodig

• dubbele kaart • dubbelzijdig plakfolie • 8 theezakjes
perzik 4 kops • 5 labeltjes • bijpassende kleur zand

Werkwijze

Snijd de papiertjes 5 × 5 cm volgens schema. Gebruik
alleen de onderste helft. Zorg ervoor dat bij tekening 2
de onderkant van de perzik onder ligt. Vouw model 7.
Plak een punt dubbelzijdig plakfolie van links boven
naar rechts onder over de kaart.
Leg hierop het vouwsel. Dit zit meteen vast en kan niet
meer verschoven worden. Zet de overstekende punten
van het vouwsel met wat lijm vast. Strooi zand op het
plakfolie. Plak dan een kleinere punt dubbelzijdig plakfolie vanaf de linkerkant schuin naar boven. Leg hierop
de uitgeknipte vruchtjes van de labeltjes en bestrooi ook
deze punt met zand.

Kaart met gevlochten oranje reepjes

Nodig

• dubbele kaart • oranje dessin papier • 8 theezakjes
abrikoos, perzik, kamille

Werkwijze

Neem het patroon over van de kaart en maak voorzichtig de insnijdingen. Snijd van het oranje papier reepjes
van 0,5 cm breed en vlecht die door de kaart. Het begin

en eind van ieder reepje met wat
lijm aan de binnenkant van de
kaart vast zetten.
Snijd de papiertjes 4 × 4 cm volgens schema. Vouw model 7 en
gebruik alleen de onderste helft
van het papiertje. Leg de elementjes tegen elkaar en plak ze op de
kaart.

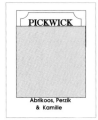

kaart met
gevlochten
oranje reepjes
4 x 4 cm

Top 5 van

Moeilijkheden

1. Model 9 uit 'Kerst met theezakjes'
2. Bloem B uit 'Natuurlijk Theezakjes'
3. Model 11 uit 'Toveren met Theezakjes'
4. Element 12 uit 'Originele wensideeën met Theezakjes'
5. Bloem 2 uit 'Country Garden Theezakjes'

Meer kaarten

Kaart met kersenbloem

Nodig
• dubbele kaart • 9 theezakjes kersen 4 kops
• groen origamipapier 6 × 6 cm

Werkwijze
Snijd 8 papiertjes 5 × 5 cm volgens schema. Vouw model 5. Zorg ervoor dat bij tekening 5 de onderkant van het zakje boven ligt en knip langs de kersen. Schuif ze in elkaar. Vouw van het groene papier model 12. Knip uit het overgebleven zakje de kersen. Zet met een zogenaamde tekenschaats wat lijnen op de kaart. De blaadjes, de bloem en de kersen op de kaart plakken.

Kaart met waaier

Nodig
• dubbele kaart 10,5 × 21 cm • perkamentpapier (ortella) • stempel nr. 420384 • 4 theezakjes China blossom
• Le Plume stempelstiften

Werkwijze
Stempel met zwarte inkt op het perkamentpapier en embos de afdruk met black sparkel embossingpoeder. Kleur op de achterkant van het papier de stempel in met donkergroen en rood. Druk de stempel ook op de kaart af en snijd deze afdruk iets groter uit. Plak het perkamentpapier eronder en werk de kaart aan de binnenkant af met een schutvelletje waar ook de stempelafdruk uit gesneden is. Trek voor de onderkant van de waaier vanaf de stempel lijnen met een langzaam drogende stempelstift en embos deze ook met black sparkel poeder. Maak van een smal lintje of koordje een strikje en plak dat op de waaier.

Snijd de papiertjes 4,7 × 4,7 cm. Leg het malletje net boven de tekst aan de onderkant. Gebruik alleen de onderste driehoek. Vouw model 6. Plak ze twee aan twee op elkaar met de uiteinden van het strikje er tussenin.

Top 5 van Misverstanden

1. Er wordt gevouwen met het zakje waar de theeblaadjes in zitten
2. Er wordt alleen maar door dames op leeftijd gevouwen
3. Vouwen met theezakjes is moeilijk
4. Je hebt er veel ander materiaal bij nodig, dus is het duur
5. Met de labeltjes kun je niets doen

Kaart met wintertheewaaier

Nodig
• kaart 10,5 × 21 cm • 8 theezakjes winterthee • stempel ornament nr. 420310 • stempel rond passe-partout nr. 420397

Werkwijze
Ribbel met de ribbelmaster de rechterbovenhoek van de kaart. Stempel de cirkel linksonder op de kaart. Stempel het ornament net onder de ribbels en snijd de punt los. Snijd de papiertjes 3,5 × 3,5 cm volgens schema.

Vouw model 14. Plak de elementen als een waaier op elkaar. Schuif het midden van de waaier onder de losgesneden punt van de kaart en zet hem met wat lijm vast.

Kaart met 3 losgesneden punten

Nodig
• dubbele kaart 10,5 × 15 cm • groen duopapier 10,5 × 15 cm • 3 theezakjes aardbeien 4 kops • stempel nr. 420409

Werkwijze
Snijd de kaart volgens patroon. Vouw 3 × model 8. Schuif de vouwsels om de omgevouwen punten en zet ze met wat lijm op de kaart en aan elkaar vast. Zet de stempel schuin over de kaart en plak het duopapier op de onderkaart. Snijd nog een smal reepje van de rechter en boven- en onderkant van de bovenkaart, zodat het groene papier te zien is.

Waaierkaart met aardbeien

Nodig
• kaart van 15 × 30 cm • 4 theezakjes aardbeien 4 kops • 12 labeltjes

Werkwijze
Neem het paptroon van de waaier over en snijd het uit de dubbelgevouwen kaart. Trek lijnen van de bogen tot de punt. Snijd de papiertjes 5 × 5 cm volgens schema. Vouw model 15 en zorg ervoor dat bij tekening 1 de tekst aan de bovenkant ligt. Plak de vouwsels zo op de waaier, dat de randen van de vouwsels en de waaier op elkaar passen. Knip de vruchtjes uit en plak ze in de rand.

Top 5 van

Gelieerde producten

1. Zoekmallen
2. Passe-partout mallen
3. Vouwvellen
4. Vouwmat
5. Stempels

Meer kaarten >

Nog meer kaarten

Kaart met mangobloem

Nodig

• dubbele kaart 10,5 × 15 cm • reep bijpassend karton 3,5 × 15 cm • 8 theezakjes mango 4 kops

Werkwijze

Snijd de papiertjes 3 × 3 cm volgens schema. Vouw model 22. Zorg ervoor dat bij tekening 1 de onderkant van de mango links ligt.
Embos een rand bloemetjes op de reep papier. Plak deze reep en de gevouwen bloem op de kaart.

PICKWICK
Mango

Lila kaart met zwarte bessenbloem

Nodig

• dubbele kaart • 8 theezakjes zwarte bes 4 kops

Werkwijze

Snijd de papiertjes 5 × 5 cm Leg het malletje aan de onderkant gelijk met de gekleurde rand. Vouw model 13. Maak de bovenhoek rond met een hoekschaar. Knip uit de zakjes nog 9 hoeken. Plak de bloem onder op de kaart. Plak een geknipte hoek onder de bloem en 7 erboven. Plak de laatste hoek rechtsboven op de onderkaart. Embos nog wat bloemetjes in de ronding van de kaart.

Lila kaart met paars

Nodig

• dubbele kaart • paars origamipapier • 8 theezakjes zwarte bes 4 kops

Top 5 van Erbij gebruikte technieken

1. Embossing
2. Stempelen
3. 3D
4. Borduren
5. Zandschilderen

Werkwijze

Snijd met behulp van een cirkelsnijder een figuur uit het origamipapier en plak die op de kaart. Snijd 8 papiertjes 5 × 5 cm. Leg het malletje aan de onderkant gelijk met de gekleurde rand en vouw model 11. Schuif de elementen als een bloem in elkaar en plak deze op de kaart.

3D- kaart

Nodig

• dubbele kaart • borduurgaren madeira nr. 2014

• 5 theezakjes tropische vruchten 4 kops • 5 theezakjes tropische vruchten 1 kops met tekst • 5 labeltjes tropische vruchten • bolpen • 3D-kit of foamtape

Werkwijze

Borduur patroon 2 in spansteek. Knip uit alle zakjes en labeltjes de vruchtjes volgens het knipschema.
Eerste laag: het hele plaatje zonder de schaduwlijnen.
Tweede laag: zonder de blaadjes.
Derde laag: zonder de vrucht linksachter
Vierde laag: zonder de meest linkse bes
Vijfde laag: alleen de twee besjes op de voorgrond
Plak de eerste laag met lijm op de kaart. Plak alle volgende lagen met 3D-kit of foamtape op elkaar, bol de papiertjes eventueel eerst. Werk de binnenkant van de kaart af met een schutvel.

Vierkante lila kaart

Nodig

• dubbele kaart 10,5 × 10,5 cm • 8 theezakjes zwarte bes 1 kops met tekst • kaderstencil • embossingpen • hoekschaar

Werkwijze

Snijd de papiertjes 4,7 × 4,7 cm. Leg het malletje aan de onderkant net over de 3 blaadjes op de hoeken. Vouw model 3. Embos met een kaderstencil de bloem op de kaart. Maak de hoeken rond met een hoekschaar en plak het vouwsel op de kaart.

Geborduurde kaart met rose bloem

Nodig

• dubbele kaart 15 × 11 cm • reep van 9 × 15 cm • stempel nr. 420226 • 8 theezakjes tropische vruchten 4 kops • borduurgaren Sulky nr. 7026

Werkwijze

Borduur paptroon 3 in spansteek op de reep van 9 × 15 cm. Plak plakband aan de achterkant over het borduurwerk en snijd de reep iets groter dan het borduurwerk uit. Plak deze reep schuin over de kaart. Snijd de papiertjes 5 × 4 cm volgens schema en vouw model 9. De witte punten vormen het middelpunt van de bloem. Plak de bloem op de kaart en stempel de tekst in bijpassende kleur (Le Plume stempelstift nr. 67) op de kaart.

Deze bloem is ook mooi van de 1 kops zakjes met tekst. Snijd de papiertjes dan 4,7 × 3,5 cm volgens schema.

Kerst in zilver, groen en rood

Kerstkaarten zonder theezakjes kan natuurlijk niet. Er zijn in de loop der jaren al heel wat sterren gevouwen, maar we hebben toch nog wat nieuwe modellen bedacht.

Kaart met ster op zilver en groen

Nodig
• kaart van 10,.5 × 30 cm • hologrampapier • groen duopapier • stukje dubbelzijdig plakfolie • 8 winterthee-zakjes

Werkwijze

Snijd de papiertjes 3 × 3 cm volgens schema. Vouw model 20. Plak een stuk hologrampapier op dubbelzijdig plakfolie. Plak de ster op het holo-grampapier en snijd deze met een smal randje uit. Plak nu het hologrampapier met het dubbelzijdig plakfolie op het groene duopapier en snijd de ster nogmaals met een smal randje uit. Vouw de kaart dubbel en plak de ster met de boven- en onder-punt recht tegenover elkaar op de linker binnenkant 1,5 cm van de middenvouw. Snijd nu de rechterhelft van de ster los. Vouw de kaart dubbel bij de boven- en onderpunt van de ster. Snijd het aan de linkerkant over-stekende deel af. Pons de hoeken, zet een tekst op de kaart en plak er nog wat kleine sterretjes bij.

Kaart met rode krans

Nodig
• kaart van 10,5 × 22 cm • stuk groen duopapier
• 8 theezakjes aardbeien 4 kops

< Nog meer kaarten

Werkwijze
Vouw aan de linkerkant van de kaart 7,5 cm naar het midden om. Beplak de omgevouwen kant met groen duopapier. Snijd de theezakjes langs de gekleurde rand. Gebruik het hele zakje en vouw model 8. Plak de krans half op het groene stuk van de kaart. Plak aan de rechter-kant op de kaart nog een asymmetrisch stuk groen in de vorm van de krans. Snijd een halve cirkel van 6,5 cm Ø en plak deze onder het overstekende stuk van de krans. Plak nog wat sterretjes op de hoeken van de krans.

Top 5 van

Wat kan er gedaan worden met theezakjes

1. Vouwen
2. Vouwen en daarna knippen
3. 3D
4. Knippen en plakken
5. Patchwork

Groene kaart met ovaal passe-partout

Nodig

• dubbele groene kaart • 6 theezakjes aardbeien 4 kops
• stempel nr. 420394 • stempel nr. 420286 • embossingpoeder white sparkle

Werkwijze

Snijd de papiertjes 4,7 × 4,7 cm en leg de hoeken van het malletje op de 3 blaadjes aan de onderkant van het zakje. Vouw model 11, maar gebruik in plaats van 8 papiertjes er maar 6. Stempel het ovaal midden op de kaart en embos het met poeder. Snijd het middenstuk er voorzichtig uit. Stempel en embos de hoeken en plak het vouwsel op de kaart.

Kaart met lichtgroene boom

Nodig

• dubbele donkergroene kaart
• lichtgroene kaart 10 × 15 cm
• 10 theezakjes kersen 4 kops

Werkwijze

Snijd de papiertjes 2,5 × 2,5 cm volgens schema. Vouw model 24. Neem het patroon van de boom over en snijd dat uit lichtgroen. Plak de boom op de kaart met daarop de vouwsels. Zet een tekst op de kaart.

Kaart met uitgesneden kerstboom

Nodig

• dubbele kaart • rest groen duopapier • hologrampapier 10 × 15 cm • 11 theezakjes winterthee • hoekpons

Werkwijze

Snijd de papiertjes 3,5 × 3,5 cm en snijd ze diagonaal

door volgens schema. Gebruik alleen de rechter bovenhoek. Vouw 10 × model 6 maar begin bij tekening 2. Het papiertje voor de stam tot fase 5 vouwen. Neem het patroon van kerstboom 2 over en snijd dat uit de kaart. Plak de vouwsels in de openingen van de

boom en de stam. Plak hologramfolie aan de binnenkant tegen de boom. Haal met een hoekpons uit groen papier de figuren voor de hoeken en plak groene perforatorrondjes onder de boomopeningen.

Cadeaulabel

Nodig

• kaartje 7,5 × 21 cm • 9 theezakjes winterthee

Werkwijze

Vouw de kaart dubbel en pons de hoeken. Snijd de papiertjes 2,5 × 2,5 cm volgens schema en gebruik alleen de linker onderhoek. Vouw model 6 maar begin bij fase 2. Plak 7 elementen in een cirkel. Trek twee lijnen vanuit de cirkel en plak daar aan het eind de twee laatste elementjes op.

Kaart met geborduurd vierkant

Nodig

• dubbele kaart • 4 theezakjes kersen 4 kops • borduurgaren Sulky nr. 7001

Werkwijze

Snijd de papiertjes 4,7 × 4,7 cm Leg het malletje met de hoeken op de blaadjes aan de onderkant. Vouw model 11. Borduurpatroon 5. Trek met een gelpen een dubbele lijn langs de rand van de kaart. Plak het vouwsel in het midden van het vierkant en zet een tekst op de kaart.

Top 5 van

Vouwsels

1. Element 1 uit 'Originele wensideeën met theezakjes'
2. Model 3 uit 'Kerst met theezakjes'
3. Bloem A uit 'Natuurlijk theezakjes'
4. Bloem uit 'Theezakjes het hele jaar door'
5. Model A uit 'Country Garden Theezakjes'

Kerst in rood en goud

Donkerrode kaart *(zie afb. blz. 43)*

Nodig
• dubbele kaart • goud duopapier 7 × 7 cm • stempel nr. 420286 • black sparkle embossingpoeder • hoekpons • 8 theezakjes China blossom

Werkwijze
Snijd de papiertjes 4,7 × 4,7 cm., leg het malletje net boven de tekst China blossom. Vouw model 23 met 8 papiertjes. Maak de hoeken van het duopapier rond met een hoekpons met sterretje. Plak het papier midden op de kaart. Stempel met zwart de afbeelding op de hoeken van de kaart en embos deze met black sparkle embossingpoeder. Plak het vouwsel op de kaart.

CHINA BLOSSOM
TEA BLEND

Kaart met ster van China blossom
(zie afb. blz. 43)

Nodig
• kaart 13,5 × 16 cm • stukje goud hologrampapier • stempel 420410 • embossingpoeder brons • 9 theezakjes China blossom

Werkwijze
Vouw de kaart nog *niet* dubbel. Snijd de papiertjes 4,7 × 4,7 cm leg het malletje net boven de tekst China blossom. Vouw model 23 met 9 papiertjes. Plak een stukje hologrampapier achter het midden van de ster. Stempel de tekst rechtsonder op de kaart en embos deze met brons embossingpoeder. Plak de ster links boven de

tekst, zodat de bovenste drie punten over de middenlijn van de kaart vallen. Snijd voorzichtig deze drie punten los en vouw de kaart dan op de middenlijn dubbel. Plak nog wat sterretjes op de kaart.

Kaart met gouden kerstbal
(zie afb. blz. 43)

Nodig
• dubbele kaart • goud hologrampapier • stickervel met strikjes en randjes • 8 theezakjes China blossom • stempel nr. 420410 • dubbelzijdig plakfolie • hoekpons

Werkwijze
Zet volgens de algemene stempelwerkwijze met bruine inkt de tekst op de kaart. Plak een stuk hologrampapier op dubbelzijdig plakfolie en snijd hieruit een kerstbal van 6 cm Ø. Denk aan het bovenstukje van de bal. Plak een lintje en een strikje van een stickervel samen met de kerstbal op de kaart. Snijd de papiertjes 4,7 × 4,7 cm. Leg het malletje boven de tekst China blossom. Vouw model 19. Net boven het zwart gouden gebogen randje afknippen. Leg de vouwsels met de punten tegen elkaar en plak ze op de bal. De hoeken van de kaart afronden met een pons.

Kaart met achtergrondtekst en ster
(zie afb. blz. 43)

Nodig
• dubbele kaart • 8 theezakjes China blossom • stempel nr. 420410 • goudkleurige gelpen

Werkwijze
Snijd de papiertjes 4,7 × 4,7 cm. Leg het malletje boven

< *Kerst in zilver, groen en rood*

de tekst China blossom. Vouw model 7 en gebruik alleen de onderste helft van het papiertje. Zorg ervoor dat bij tekening 2 de hoofden van de geisha's beneden liggen. Schuif de ster in elkaar. Omdat het midden uit allemaal losse punten bestaat, kun je de ster het mooiste op een klein stukje zwart papier plakken. Maak nu een stempelmasker van de ster. Leg deze hiervoor op een stuk papier, eventueel even vastzetten met fotolijm. Snijd de ster 0,5 cm groter uit. Geef op het masker en de achterkant van de ster aan welke punt boven ligt. Haal de ster van het masker en plak dit met wat fotolijm op de kaart. Zet volgens de algemene stempelwerkwijze met bruine inkt de tekst over het masker op de kaart. Haal het masker voorzichtig van de kaart en plak de ster op de goede plaats. Trek met een goudkleurige gelpen nog wat lijnen \langs de ster.

Rode vierkante kaart

Nodig
• kaart 10,5 × 21 cm • goud duopapier • 8 theezakjes kersen 4 kops

Werkwijze
Snijd de papiertjes 2,5 × 2,5 cm op dezelfde manier als bij de donkere kaart met lichtgroene boom. Vouw model 24. Snijd uit goudpapier een cirkel van 5 cm Ø. Schuif daar de vouwsels op. Snijd uit het goudpapier nog twee grote en twee kleine punten en plak alles op de kaart.

Kaart met geborduurde boom

Nodig
• dubbele kaart 15 × 10,5 cm
• 3 theezakjes China blossom
• stempel nr. 420042 • embossingpoeder goud • borduurgaren madeira metallic gold 7 voor de binnenkant van de boom en Sulky nr. 7010 voor de buitenlijnen.

Werkwijze
De boom, patroon 4, wordt in spansteek geborduurd. Snijd de rechter bovenhoek van de kaart. Zet de tekst op de onderkaart en embos deze met goudpoeder. Snijd de papiertjes 4 × 4 cm volgens schema en vouw model 10. Draai twee borduurdraadjes (1 van elke kleur) in elkaar tot een dun koordje. Verdeel dat in drieën en plak deze met de vouwsels op de kaart. Plak boven aan ieder draadje een sterretje. Plak schuin over de binnenkant van de kaart een reepje hologrampapier. Werk de binnenkant van de kaart af met een schutvelletje.

Kinderen

Fruitkindjes

Ze zijn leuk als versiering of als verrassingstraktatie. Je kunt bijvoorbeeld iets lekkers onder in het lijfje stoppen. Dit kun je eventueel dichtmaken door er een kartonnen cirkel onder te plakken. Alle fruitkindjes worden op dezelfde manier gemaakt.

Nodig
• 18 theezakjes 4 kops • 14 labeltjes • houten hoofdje van 4 cm Ø • halve cirkel van 17 cm Ø bijpassend karton • cocktailprikkertje

Werkwijze
Voor het aardbeien-, kersen-, bosvruchten- en sinaasappelkindje het malletje linksonder in de hoek leggen, voor het citroenkindje het malletje rechtsonder in de hoek leggen.
Snijd voor het hoedje volgens de hierboven staande aanwijzingen 14 papiertjes van 3,5 × 3,5 cm. Vouw model 16 en plak er 7 in een cirkel. Dit staat bol als een hoedje. Maak deze twee keer en plak ze met de witte kanten op elkaar. Voor de kraag uit 4 theezakjes de vruchten met de blaadjes knippen. Maak aan de bovenkant tussen de blaadjes een klein plooitje. Plak ze met de blaadjes over elkaar tot een cirkel. Dit is de kraag. Voor het lijf de halve cirkel van karton tot een kegel vormen en dichtplakken. Knip de vruchtjes uit de labeltjes en plak die onder langs de rand van de kegel. Plak het hoedje op het hoofdje. Vul met een lijmpistool het gat onderin het hoofd. Steek een prikker onder in het hoofdje en door het midden van de kraag. Steek de prikker dan door de punt van de kegel. Lijm de prikker aan de binnenkant van het lijf vast, dit gaat goed met een lijmpistool. Zorg dat het hoofd recht staat.

Traktatiehondje

Nodig
• lijf:1 velletje dubbelzijdig origamipapier 15 × 15 cm of 12 × 12 cm • kop: 1 velletje origamipapier 12 × 12 cm of 9 × 9 cm • poten: restje karton • verschillende theezakjes • 1 labeltje

Werkwijze
Vouw de kop en het lijf. Teken het model van de pootjes na en knip dat uit het stukje karton. Plak de kop op het lijf. Smeer lijm op het aangegeven stuk van het lijf en plak dat op de pootjes. Plak de onderste punt van het lijf tegen de rug van het hondje zodat hij goed blijft staan. Knip wat vruchtjes uit de theezakjes en versier het lijf hiermee. Plak ook een vruchtje achter op de rug van het hondje waar de punt vast zit. Plak voor de ogen twee zwarte rondjes met daarop twee wiebeloogjes. In plaats van wiebeloogjes kun je de ogen ook tekenen. Knip nog een vruchtje uit een labeltje en plak dat op zijn oor.

Lollybloemen

Nodig
• 7 theezakjes 4 kops • 1 lolly • bloemband • stukje groen papiertouw

Werkwijze
Snijd de papiertjes 4 × 4 cm volgens schema. Vouw model 2. Knip uit het papiertouw twee bloemblaadjes. Maak de stengel van de bloem door bloemband om het lollystokje te draaien. Begin

bovenaan en neem er na 3 cm de twee blaadjes bij. Draai die vast met het bloemband. Als het bloemband een beetje uitgerekt wordt, plakt het vanzelf. Plak de 7 gevouwen elementen op elkaar, vouw ze om de lolly en plak de bloem dicht.

Lollybloemen

Fruitkindjes met op de achtergrond
de bloesemboom en het bloemenpotje >

Vrolijke kaarten

Kaart met hondje

Nodig
• dubbele kaart • 1 × 7,5 × 7,5 cm en 1 × 5 × 5 cm blauw dubbelzijdig origamipapier • rest geel voor het bot • rest zwart papier • wiebeloogjes • 1 theezakje bosvruchten 1 kops • stempel nr. 420335

Werkwijze
Vouw model 17. Knip uit het zwarte papier twee halve rondjes en plak die als pootjes onder het lijf. Knip uit het theezakje de vruchtjes en plak die midden op het lijf. Plak twee zwarte rondjes met de wiebeloogjes op de kop. Teken het bot na, knip het uit en stempel er de tekst op. Plak het bot en het hondje op de kaart. Knip nog een paar kleine botjes uit geel papier en stop die in de zak van het hondje.

Appelkaart

Nodig
• rode kaart 21 × 11 cm • rest groen • 2 theezakjes kinderthee • stempel deur nr. 420406 • stempel tekst nr. 420226 • ribbelmaster

Werkwijze
Neem het patroon van de appel over en knip het uit de dubbelgevouwen rode kaart. Knip het blaadje uit groen. Zet de tekststempel op het blaadje. Als deze droog is het blaadje in de lengte dubbel vouwen en schuin door de ribbelmaster draaien. Bepaal waar het stempel van het deurtje moet komen te staan en druk het stempel met behulp van de liniaal af. Snijd het deurtje aan de boven-, onder- en linkerkant los, zodat het open kan. Knip de figuurtjes uit de theezakjes en

plak er een op de appel en een achter het deurtje. Plak het blaadje op de appel.

Peerkaart

Nodig
• groene kaart 22 × 15 cm • 2 × groen origami papier 4 × 4 cm • 1 theezakje kinderthee • stempel nr. 420406 • viltstiften • ribbelmaster

Top 5 van

Wat kan ermee gemaakt worden

1. Kaarten
2. Mandala's
3. Kindertractaties
4. Kerstversiering
5. Bloemen

Werkwijze

Neem het patroon van de peer over en knip het uit de dubbelgevouwen groene kaart. Vouw de blaadjes, ribbel ze met de ribbelmaster en plak ze samen boven op de peer. Bepaal waar het stempel moet komen en druk deze met behulp van de liniaal af. Kleur de stenen en de takken, die om het deurtje staan. Snijd voorzichtig de bovenste helft van het deurtje los, zodat het open kan. Het uit het theezakje geknipte beertje op een restje groen plakken en nogmaals uitknippen. Plak het beertje aan de binnenkant tegen het deurtje.

Kaart met boom

Nodig

• dubbele gele kaart • stuk groen papier • 1 theezakje kinderthee met twee beertjes • stempel nr. 420406 • ponsfiguur vogel en eekhoorn • restje rood en bruin papier

Werkwijze

Neem het patroon van de boom over en knip deze uit groen papier. Stempel het deurtje op de boom en snijd het aan een kant los, zodat het open kan staan.
Plak de boom op de gele kaart. Knip de beertjes uit het zakje en plak er een in het deurtje en een op de boom. Pons de vogeltjes en de eekhoorn, en plak die bij de boom.

Kaart met gevlochten 5

Nodig

• dubbele kaart • blauw papier 10,5 × 15 cm • 3 ecru vlechtstroken van 1 × 100 cm • 3 theezakjes framboos 4 kops • 2 labeltjes

Werkwijze

Knip het blauwe papier iets kleiner dan de kaart. Maak de hoeken rond met een hoekpons. Voor de gevlochten 5 zijn nodig: 10 stroken van 16 cm en 14 stroken van 8 cm. Vouw alle stroken dubbel. Begin met poot nr. 1. Leg hiervoor twee lange stroken verticaal op tafel. De rechter met de open kant naar boven en de linker met de dichte kant naar boven. Neem nu weer een lange strook en ga hiermee van rechts naar links om de eerste en door de tweede verticale strook. Neem de tweede lange strook en doe hetzelfde, maar begin dan aan de linkerkant. Vlecht op deze manier nog 4 korte stroken in. Poot 1 is dan klaar. Voor poot 2 moeten over de horizontaal liggende lange stroken, twee korte en dan twee lange stroken ingevlochten worden. Dan voor poot 3 twee korte en twee lange stroken invlechten. Voor poot 4, twee korte en twee lange stroken en voor poot 5 nog vier korte stroken invlechten. Vouw de aangegeven hoeken naar achteren. Alle uiteinden naar de achterkant omvouwen en met wat lijm vastzetten.
Vouw voor het mannetje model 21. Knip voor het hoofd een rondje van 1,75 cm Ø. Knip de blaadjes uit een theezakje en plak die op het hoofd. Knip voor de beentjes en voetjes twee reepjes van 7 mm × 3 cm. Vouw ze en plak ze onder het lijf. Uit de labeltjes twee vruchtjes knippen en die als handjes opplakken. Het mannetje met het cijfer op de kaart plakken.

Speciaal voor jou !

Huis, tuin en keuken

In dit hoofdstuk worden geen kaarten beschreven, maar andere dingen die leuk zijn om bijvoorbeeld cadeau te geven of te krijgen.

Klok *(zie afb. blz. 35)*

Nodig
• houten bord 35 cm Ø • uurwerk • 64 theezakjes China blossom • vernis mat of glanzend

Werkwijze
Schuur het bord en vernis het volgens de aanwijzing op de verpakking. Geef het midden aan en boor een gaatje waar het uurwerk in komt. Als het bord te dik is, moet er voor het uurwerk, aan de achterkant in het midden een vierkant stuk hout uit het bord gehaald worden. Dit gaat goed met een beitel of een guts. Wel voorzichtig doen, zodat je niet door het bord heen gaat. Snijd de papiertjes 4,7 × 4,7 cm. Leg het malletje hiervoor net boven de tekst China blossom. Vouw model 7, gebruik alleen de onderste helft van de papiertjes. Zorg ervoor dat bij tekening 2 de hoofden van de geisha's aan de onderkant liggen. Maak 8 losse elementen, 12 halve en een hele cirkel.
Maak in het midden van de hele cirkel een gaatje waar het midden van het uurwerk door komt. Plak de cirkel met houtlijm op het midden van het bord. Geen dikke klodders lijm gebruiken, maar deze goed uitstrijken. Zorg er wel voor dat alles goed vastgeplakt zit, want anders haken de wijzers achter de vouwsels. Plak de 8 losse elementen met de smalle punten tegen de punten van de cirkel. Plak als laatste de 12 halve cirkels op hun plaats. Deze stellen de cijfers van de klok voor, dus moeten ze recht tegenover elkaar geplakt worden.

Duw de wijzers op de klok.

Wijnfleslabels *(zie afb. blz. 35)*

Nodig
• kaart A4 • 5 theezakjes citroen of sinaasappel • restje groen • figuurschaar

Werkwijze
Neem het patroon van het label over op de kaart. Knip het met een figuurschaar uit. Gebruik een schaar met een klein motief, dan komt het meestal goed uit. Neem het patroon van de appel of de peer over en knip dat 5 × uit de theezakjes. Plak 2 × 2 vruchten op elkaar. Plak de laatste vrucht op het label. Vouw de andere twee in de lengte dubbel, smeer lijm op de vouwlijn en plak deze op de middenlijn van de al opgeplakte vrucht. Zet met viltstift in een bijpassende kleur puntjes langs de rand van het label. Het wordt afgewerkt met een tekst en wat kleine bloemetjes.

Labels voor jampotjes *(zie afb. blz. 35)*

kersen en sinaasappel
Nodig
• kleine kaartjes • 4 theezakjes kersen of sinaasappel 1 kops met tekst

Werkwijze
Snijd de papiertjes 2,5 × 2,5 cm volgens schema en vouw model 25.
Plak de vouwsels in een hoek van het kaartje.

< *Vrolijke kaarten*

Label met appeltjes *(zie afb. blz. 35)*

Nodig
• klein kaartje • 4 theezakjes appel honing en kaneel

Werkwijze
Snijd de papiertjes 3,5 × 3,5 cm volgens schema. Vouw model 10 en plak de elementjes onder op het kaartje.

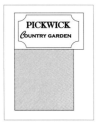

Top 5 van

Meest gebruikte materialen

1. Ribbelmaster
2. Scharen
3. Ponsjes
4. Natuurlijk materiaal
5. Origamipapier

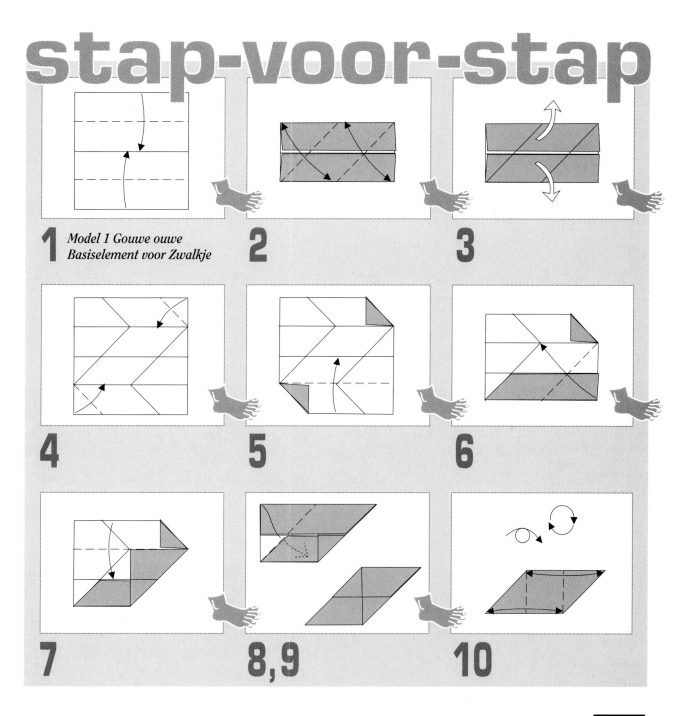

stap-voor-stap

1 *Model 1 Gouwe ouwe*
Basiselement voor Zwalkje

2

3

4

5

6

7

8,9

10

stap-voor-stap

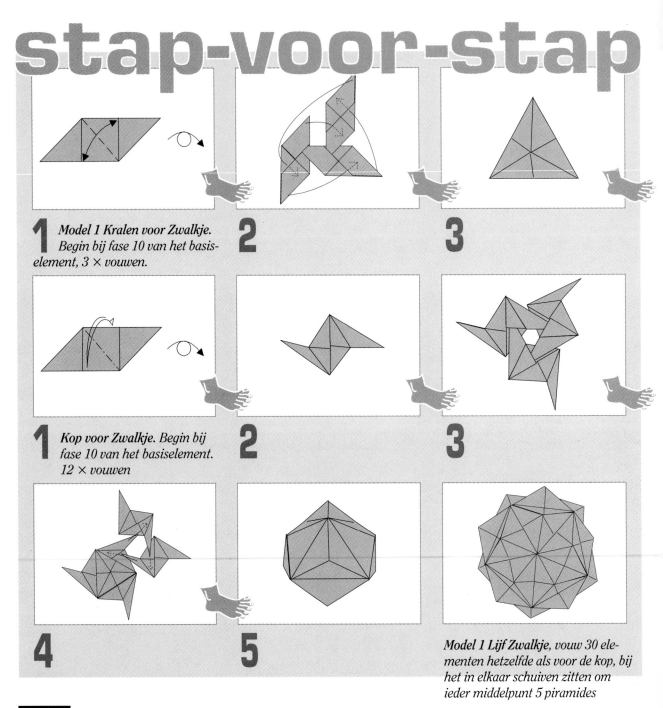

1 Model 1 Kralen voor Zwalkje.
Begin bij fase 10 van het basiselement, 3 × vouwen.

2

3

1 Kop voor Zwalkje. Begin bij
fase 10 van het basiselement.
12 × vouwen

2

3

4

5

Model 1 Lijf Zwalkje, vouw 30 elementen hetzelfde als voor de kop, bij
het in elkaar schuiven zitten om
ieder middelpunt 5 piramides

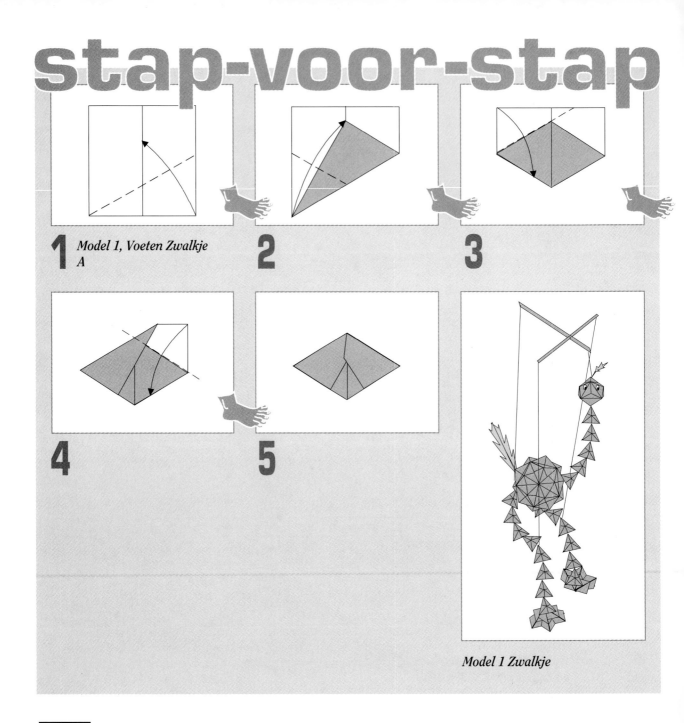

1 *Model 1, Voeten Zwalkje A*

2

3

4

5

Model 1 Zwalkje

stap-voor-stap

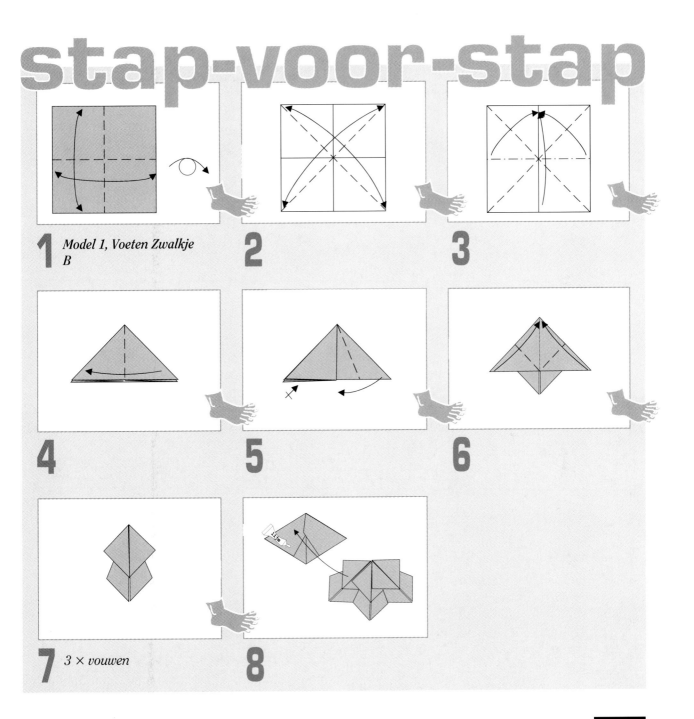

1 *Model 1, Voeten Zwalkje B*

2

3

4

5

6

7 *3 × vouwen*

8

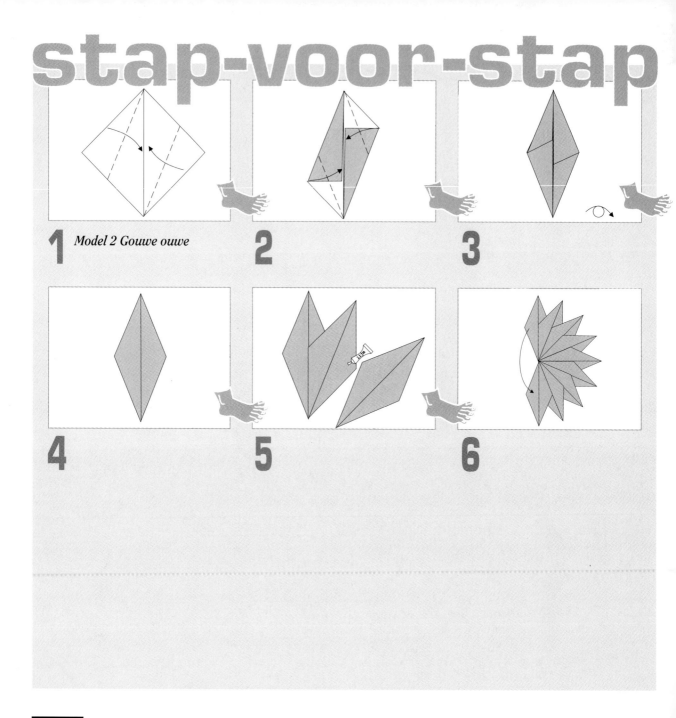

1 *Model 2 Gouwe ouwe*

2

3

4

5

6

stap-voor-stap

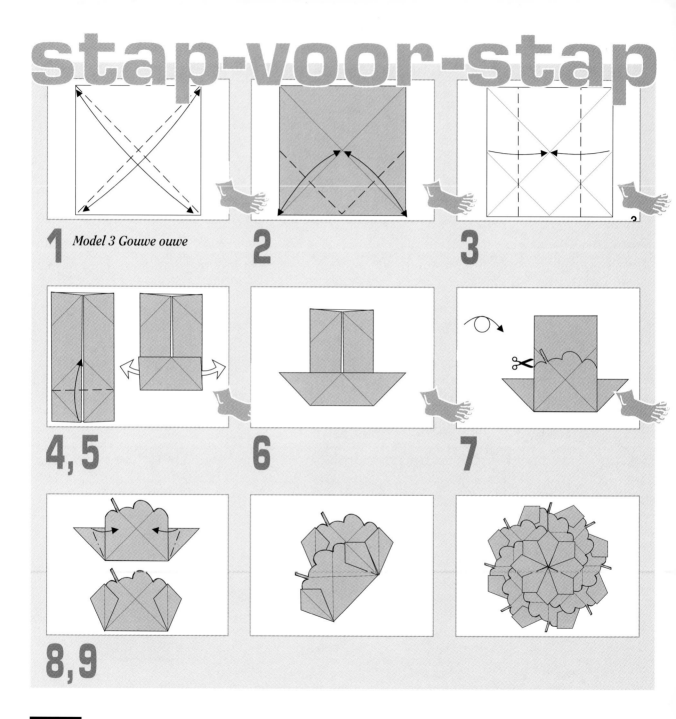

1 *Model 3 Gouwe ouwe*

2

3

4,5

6

7

8,9

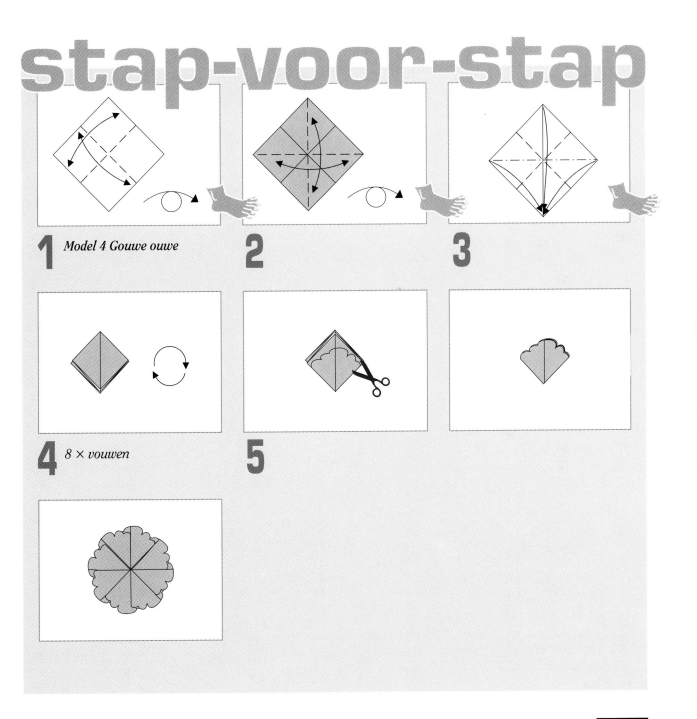

1 *Model 4 Gouwe ouwe*

2

3

4 *8 × vouwen*

5

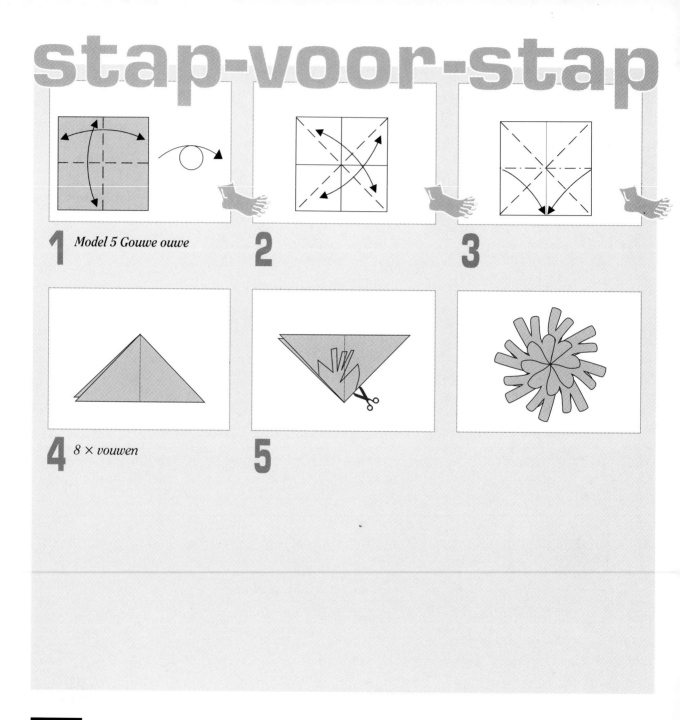

1 *Model 5 Gouwe ouwe*

2

3

4 *8 × vouwen*

5

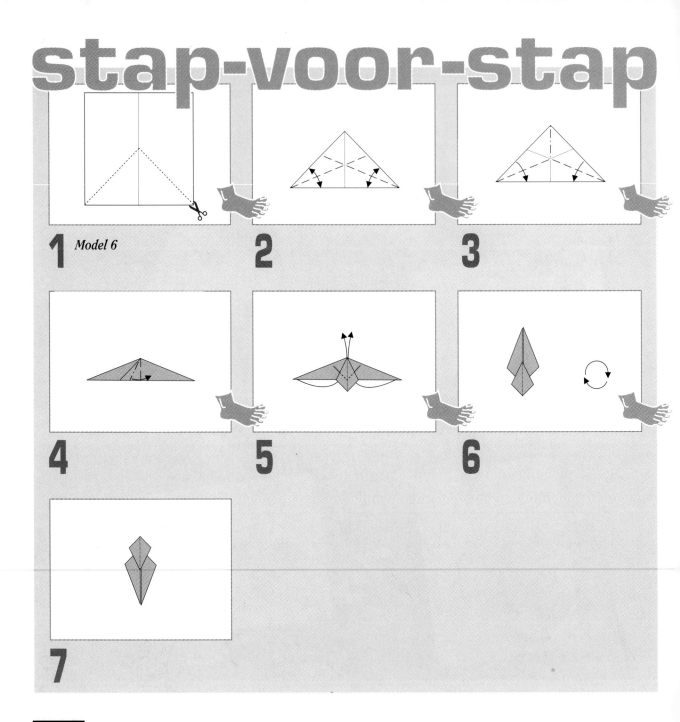

1 *Model 6*

2

3

4

5

6

7

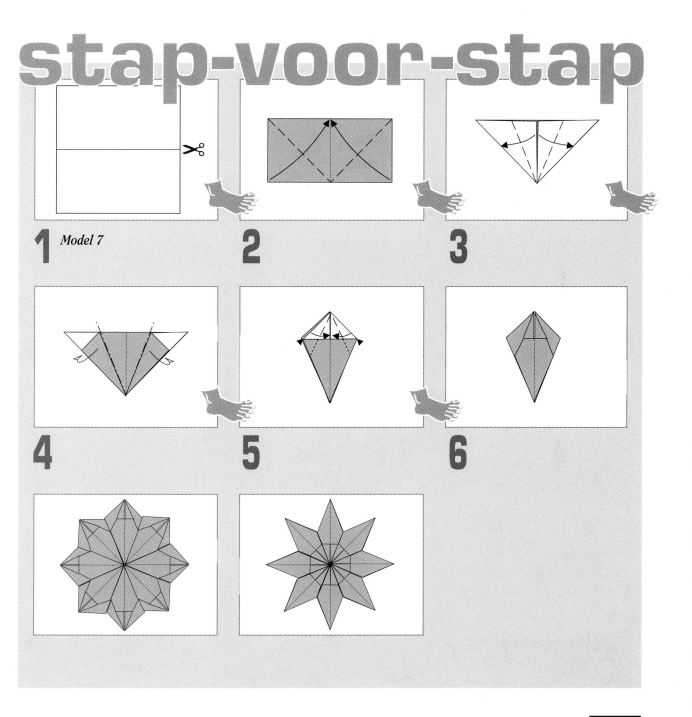

1 *Model 7*

2

3

4

5

6

stap-voor-stap

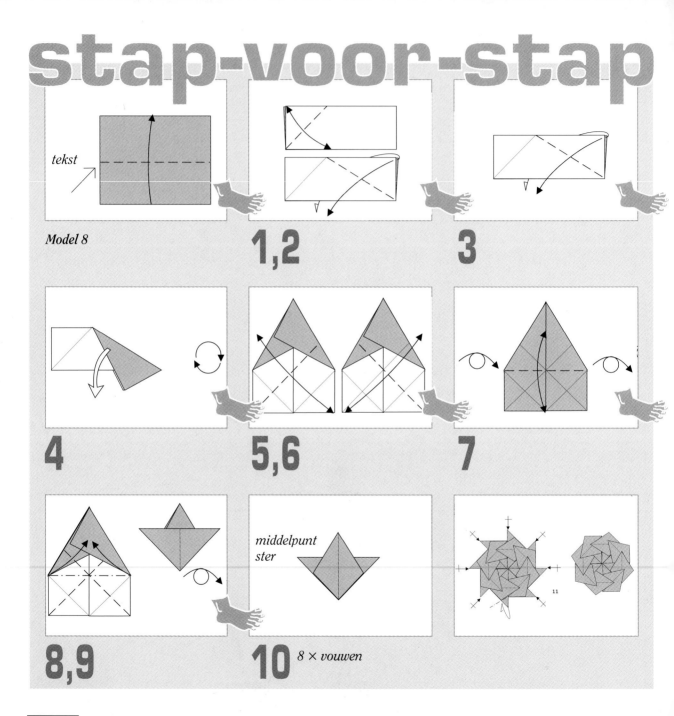

Model 8

tekst

1,2

3

4

5,6

7

8,9

middelpunt
ster

10 8 × vouwen

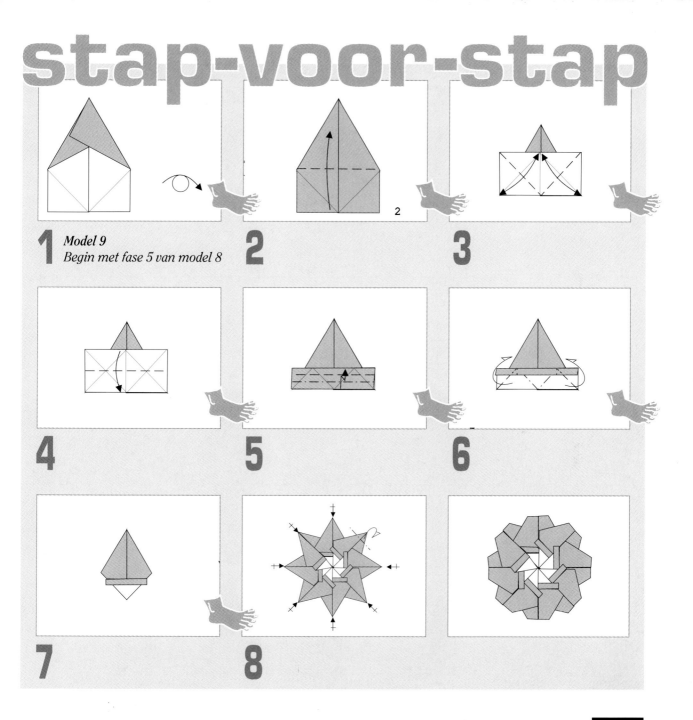

1 *Model 9*
Begin met fase 5 van model 8

2

3

4

5

6

7

8

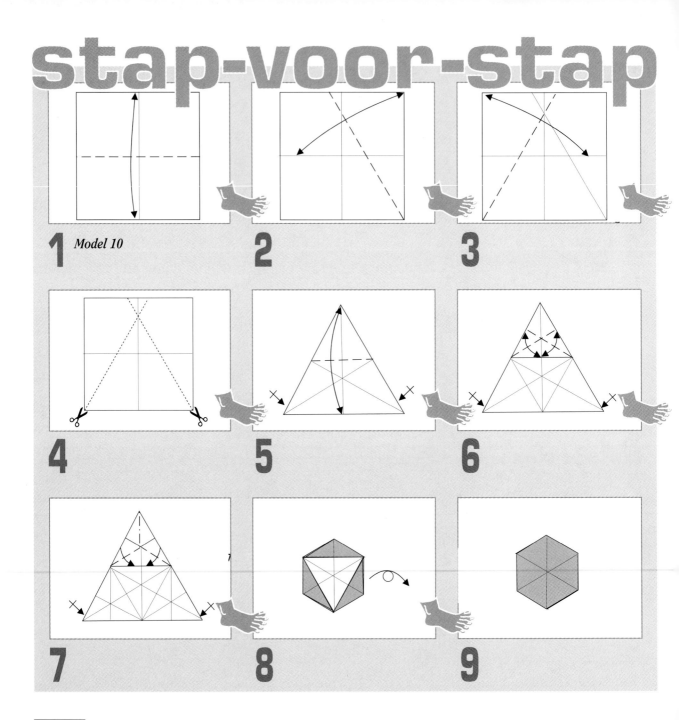

1 *Model 10*

2

3

4

5

6

7

8

9

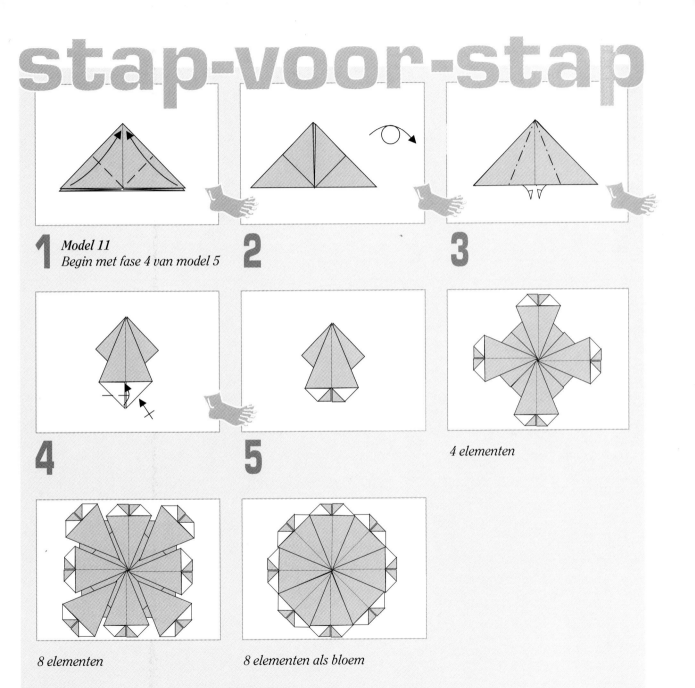

stap-voor-stap

1 *Model 11*
Begin met fase 4 van model 5

2

3

4

5

4 elementen

8 elementen

8 elementen als bloem

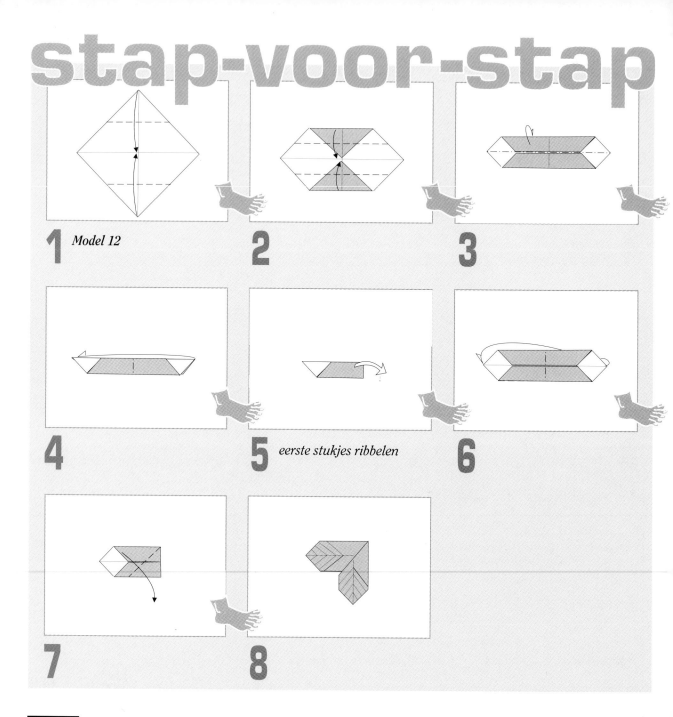

1 *Model 12*

2

3

4

5 *eerste stukjes ribbelen*

6

7

8

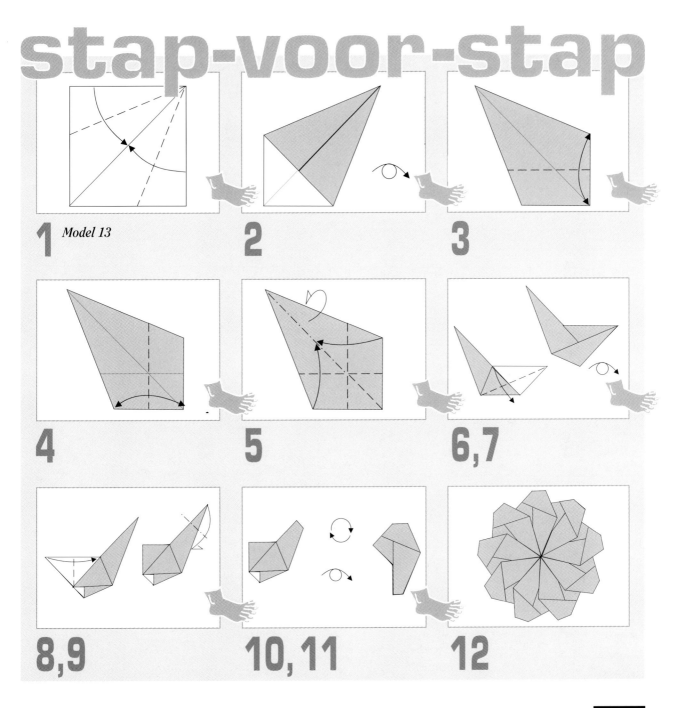

1 *Model 13*

2

3

4

5

6,7

8,9

10,11

12

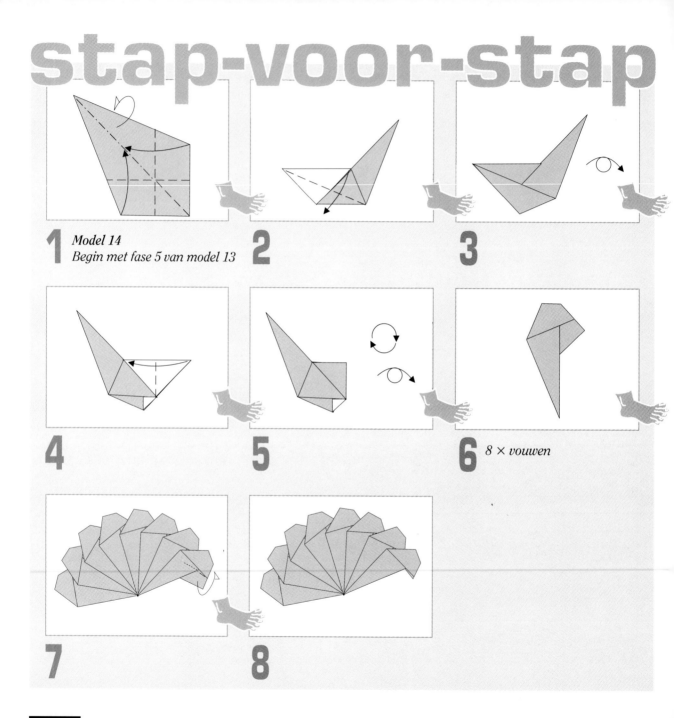

1 *Model 14*
Begin met fase 5 van model 13

2

3

4

5

6 *8 × vouwen*

7

8

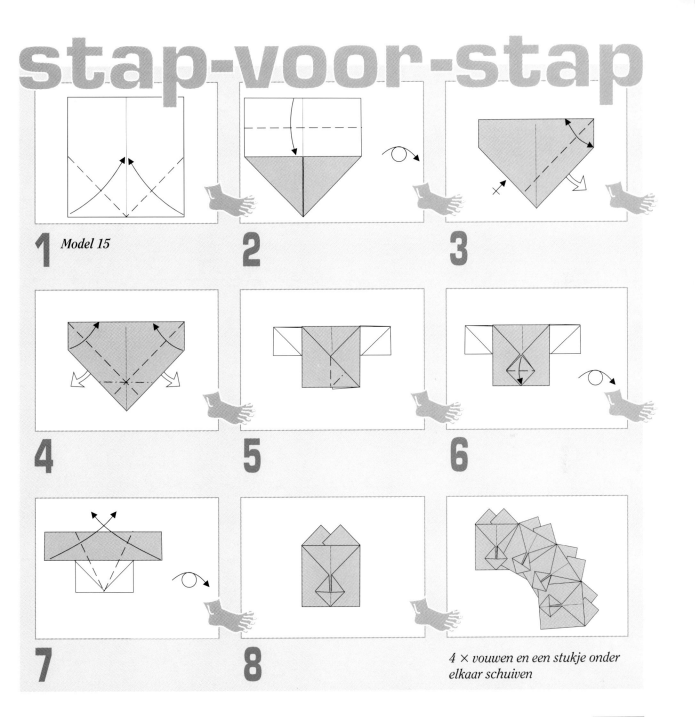

1 Model 15

2

3

4

5

6

7

8

4 × vouwen en een stukje onder elkaar schuiven

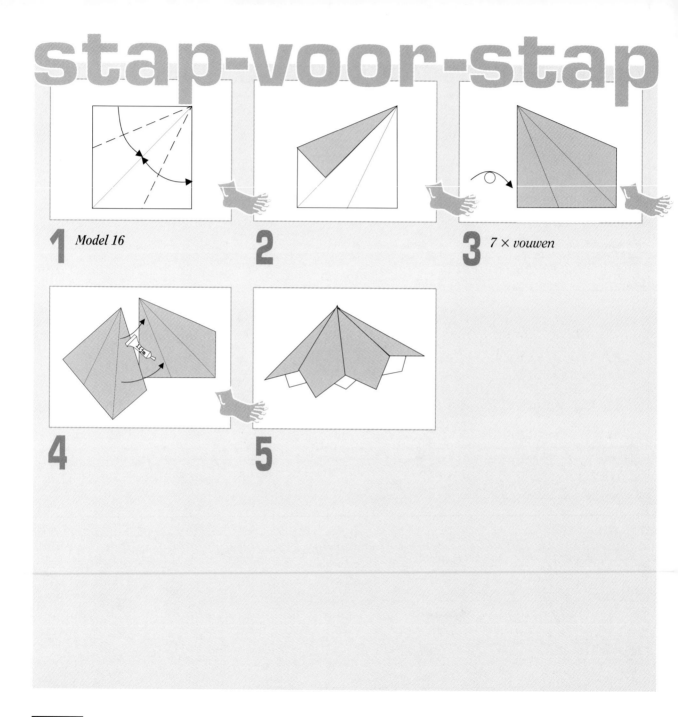

1 *Model 16*

2

3 *7 × vouwen*

4

5

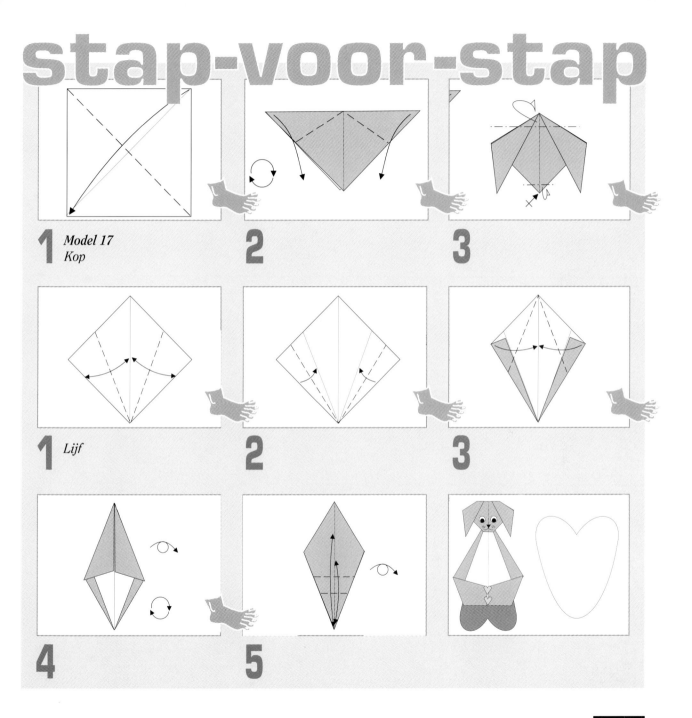

1 *Model 17*
Kop

2

3

1 *Lijf*

2

3

4

5

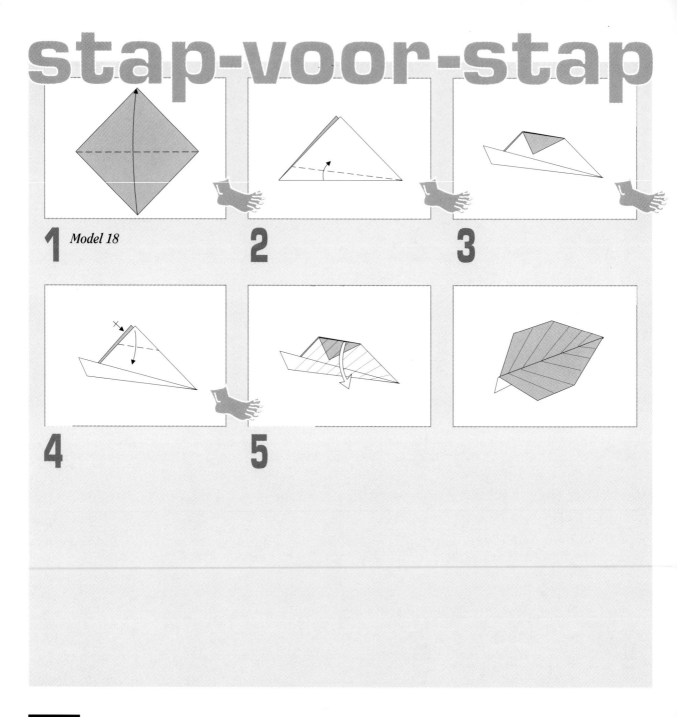

stap-voor-stap

1 *Model 18*

2

3

4

5

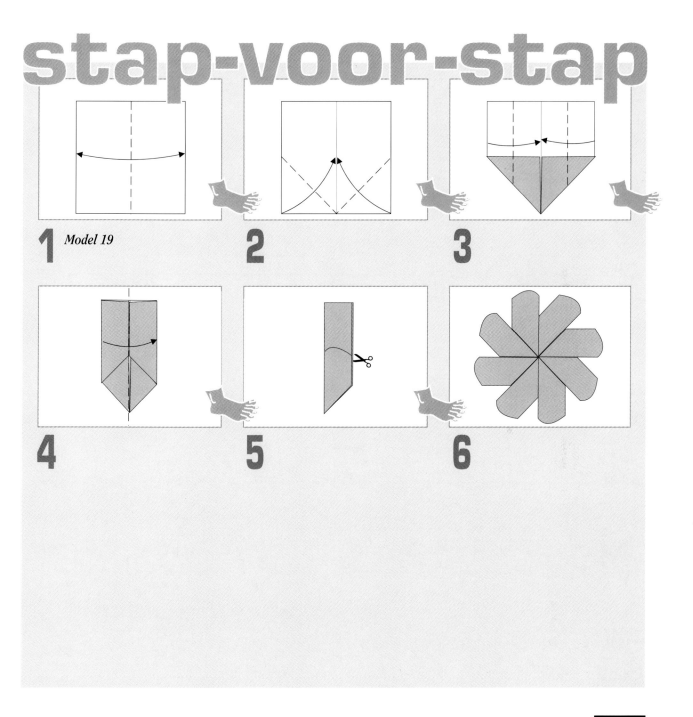

1 *Model 19*

2

3

4

5

6

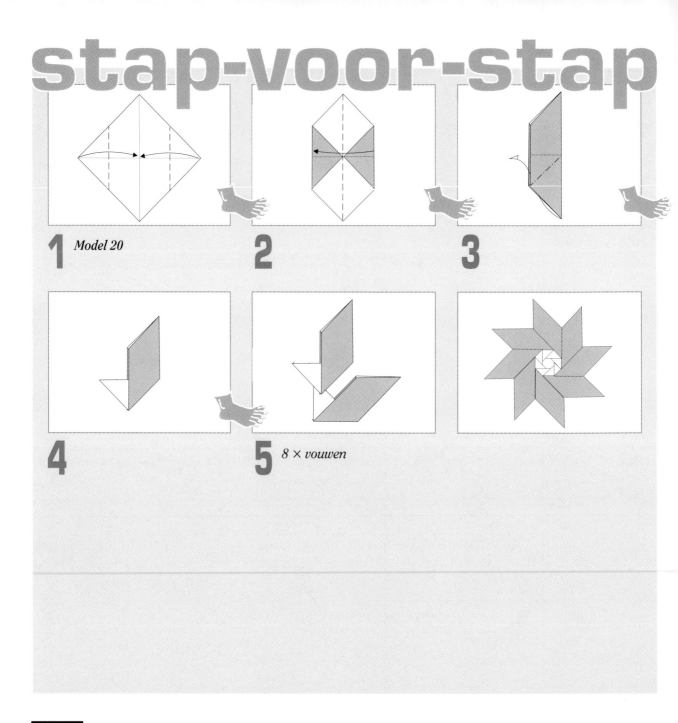

1 *Model 20*

2

3

4

5 *8 × vouwen*

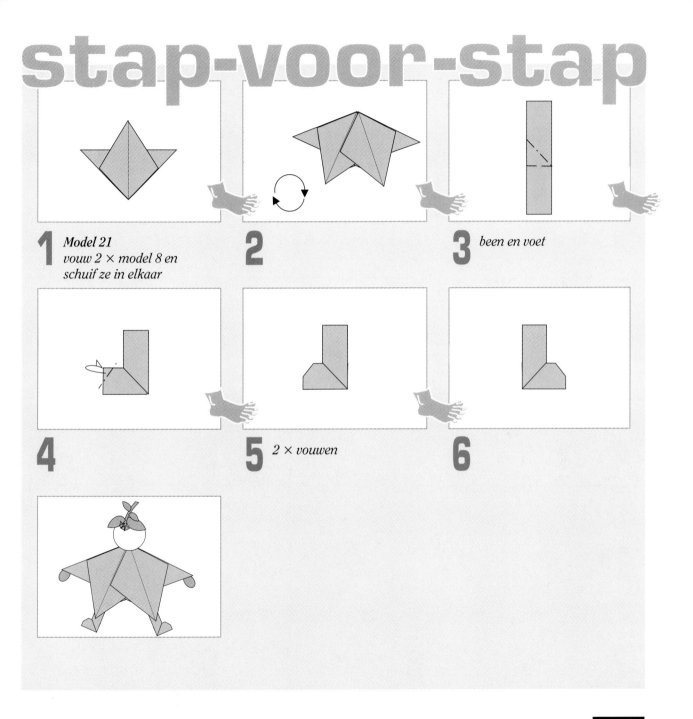

1 Model 21
vouw 2 × model 8 en
schuif ze in elkaar

2

3 *been en voet*

4

5 *2 × vouwen*

6

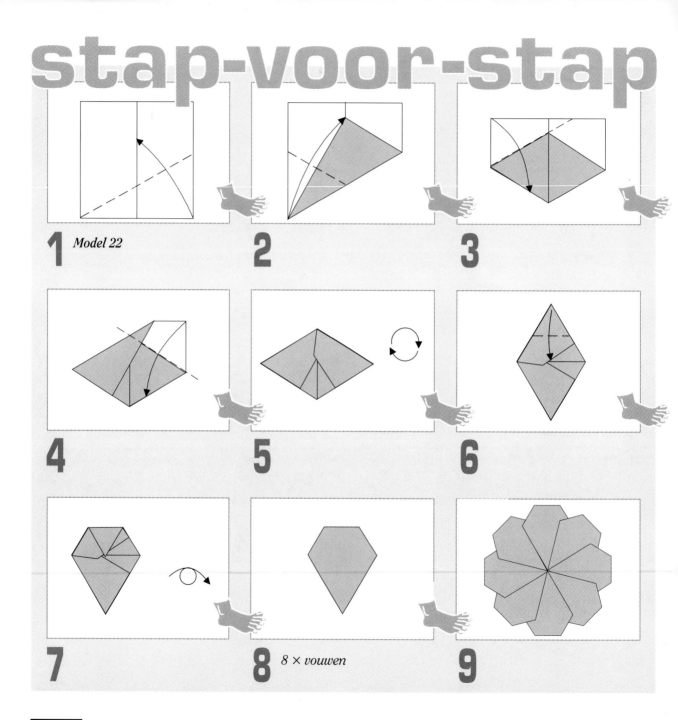

1 *Model 22*

2

3

4

5

6

7

8 *8 × vouwen*

9

stap-voor-stap

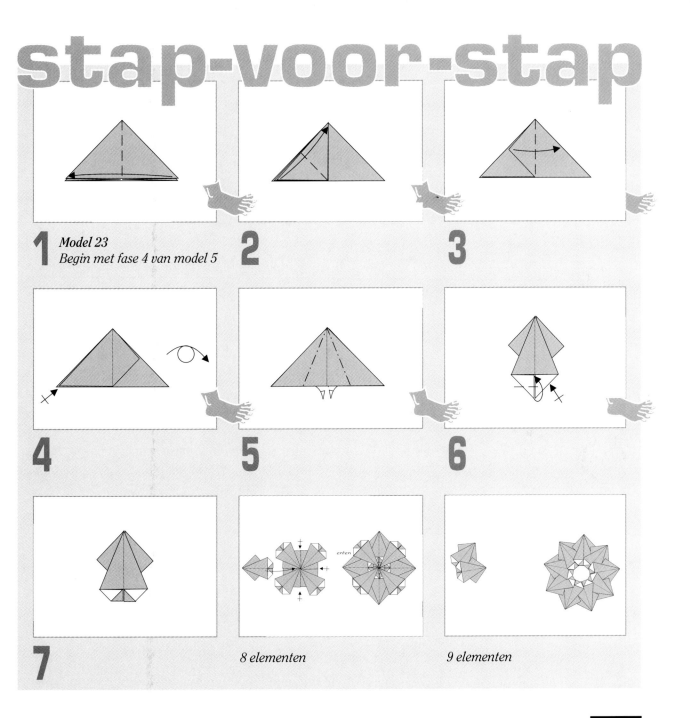

1 *Model 23*
Begin met fase 4 van model 5

2

3

4

5

6

7

8 elementen

9 elementen

stap-voor-stap

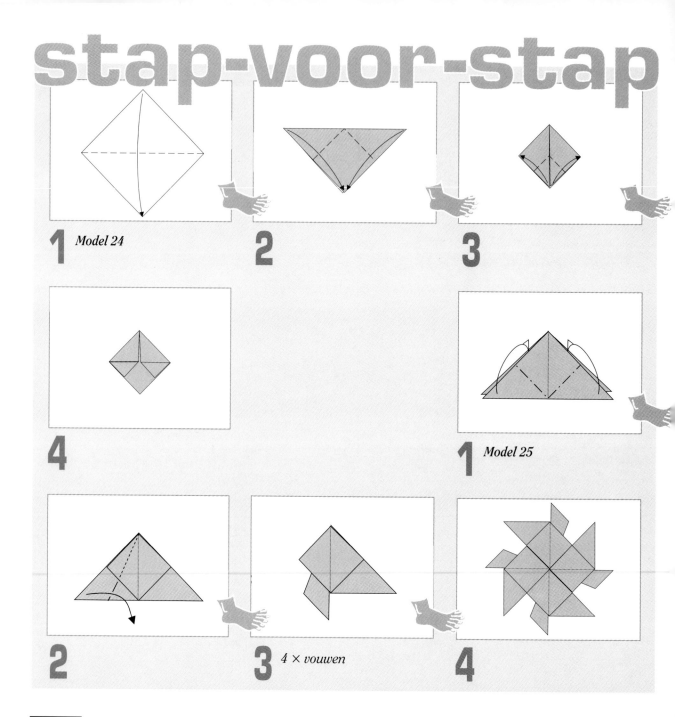

1 Model 24

2

3

4

1 Model 25

2

3 4 × vouwen

4

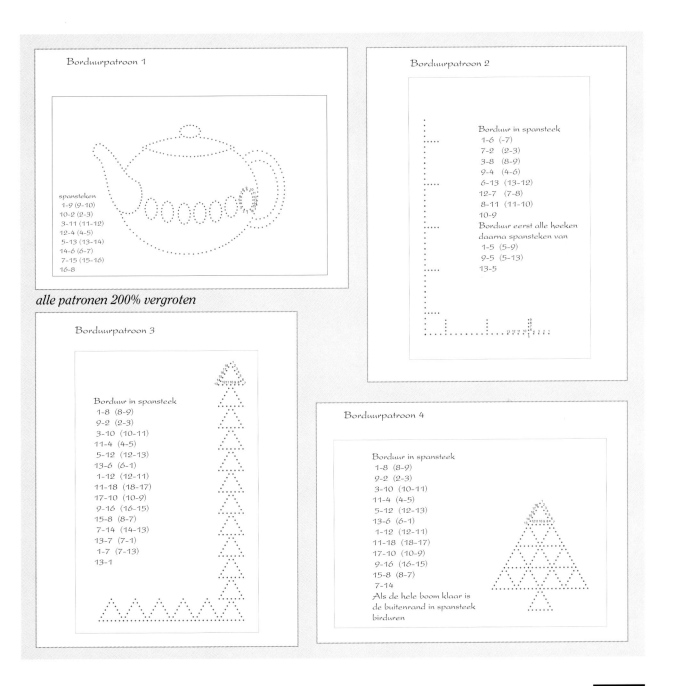

Borduurpatroon 1

spansteken
1-9 (9-10)
10-2 (2-3)
3-11 (11-12)
12-4 (4-5)
5-13 (13-14)
14-6 (6-7)
7-15 (15-16)
16-8

alle patronen 200% vergroten

Borduurpatroon 2

Borduur in spansteek
1-6 (-7)
7-2 (2-3)
3-8 (8-9)
9-4 (4-6)
6-13 (13-12)
12-7 (7-8)
8-11 (11-10)
10-9
Borduur eerst alle hoeken
daarna spansteken van
1-5 (5-9)
9-5 (5-13)
13-5

Borduurpatroon 3

Borduur in spansteek
1-8 (8-9)
9-2 (2-3)
3-10 (10-11)
11-4 (4-5)
5-12 (12-13)
13-6 (6-1)
1-12 (12-11)
11-18 (18-17)
17-10 (10-9)
9-16 (16-15)
15-8 (8-7)
7-14 (14-13)
13-7 (7-1)
1-7 (7-13)
13-1

Borduurpatroon 4

Borduur in spansteek
1-8 (8-9)
9-2 (2-3)
3-10 (10-11)
11-4 (4-5)
5-12 (12-13)
13-6 (6-1)
1-12 (12-11)
11-18 (18-17)
17-10 (10-9)
9-16 (16-15)
15-8 (8-7)
7-14
Als de hele boom klaar is
de buitenrand in spansteek
birduren

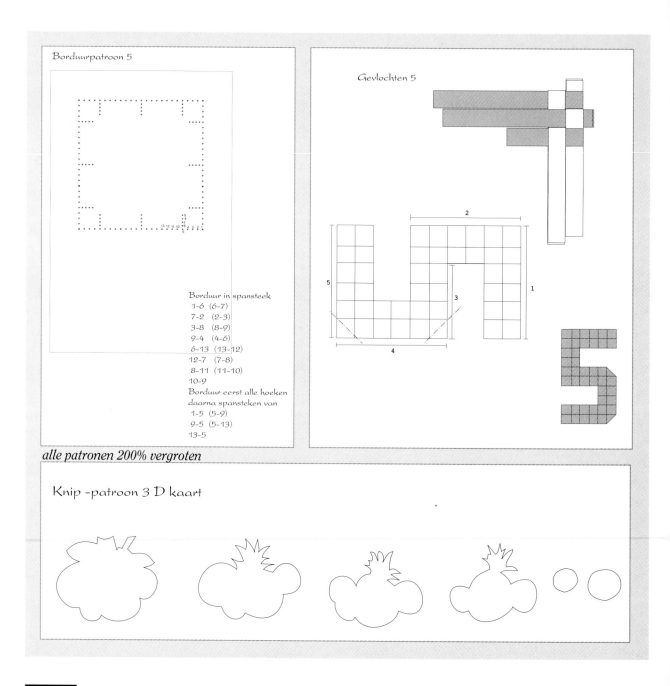

Borduurpatroon 5

Gevlochten 5

Borduur in spansteek
1-6   (6-7)
7-2   (2-3)
3-8   (8-9)
9-4   (4-6)
6-13 (13-12)
12-7 (7-8)
8-11 (11-10)
10-9
Borduur eerst alle hoeken
daarna spansteken van
1-5   (5-9)
9-5   (5-13)
13-5

alle patronen 200% vergroten

Knip -patroon 3 D kaart

Appel en blad

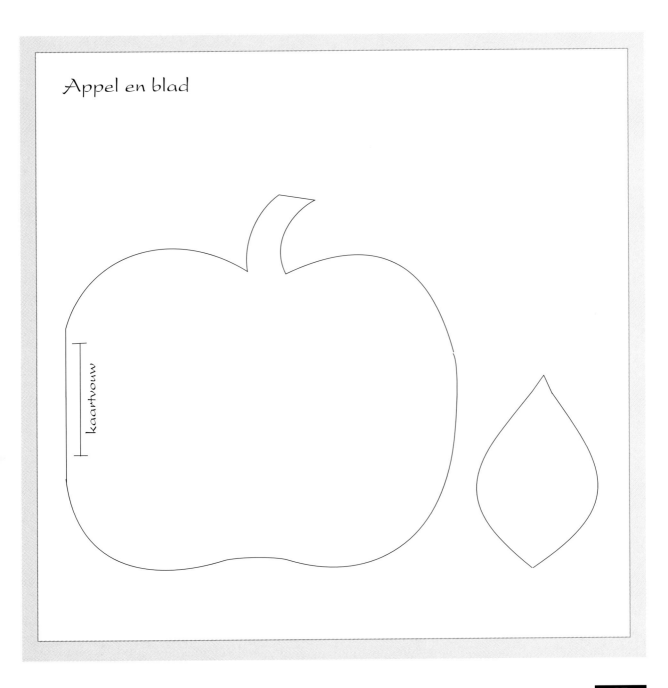

kaartvouw

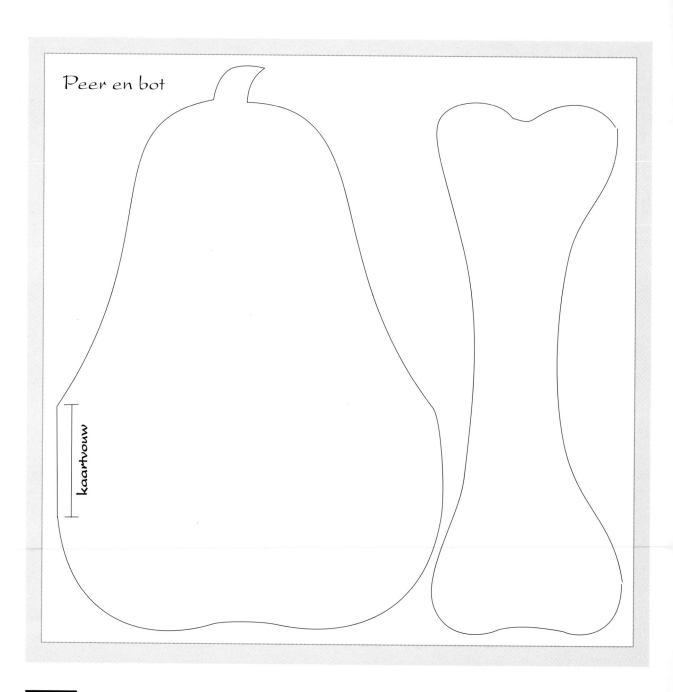

Peer en bot

kaartvouw

Patroon boom

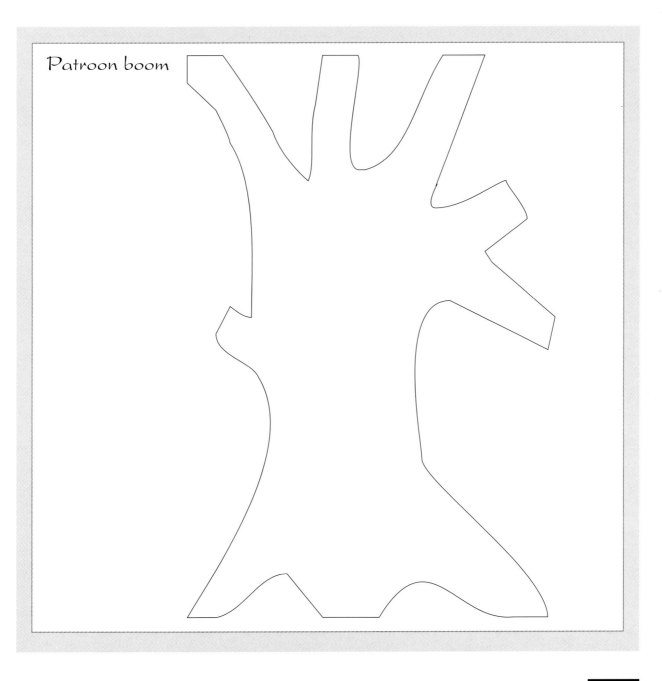

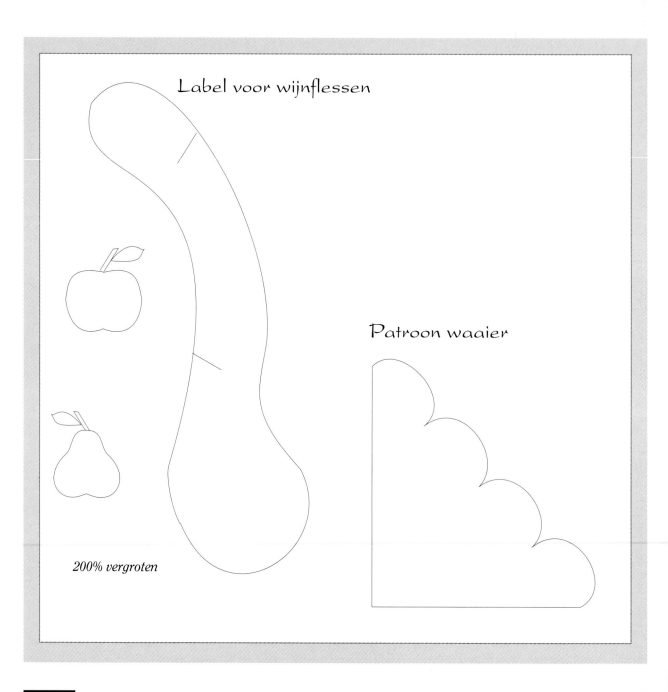

Label voor wijnflessen

Patroon waaier

200% vergroten

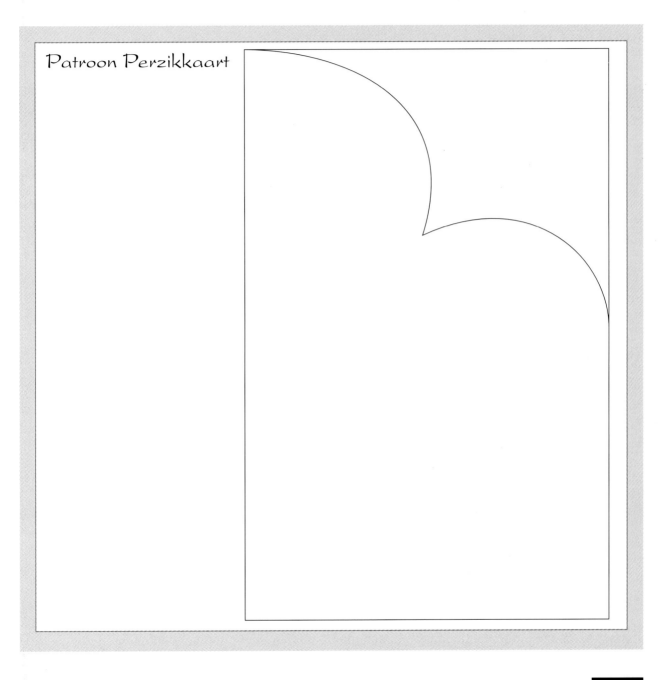

Patroon Perzikkaart

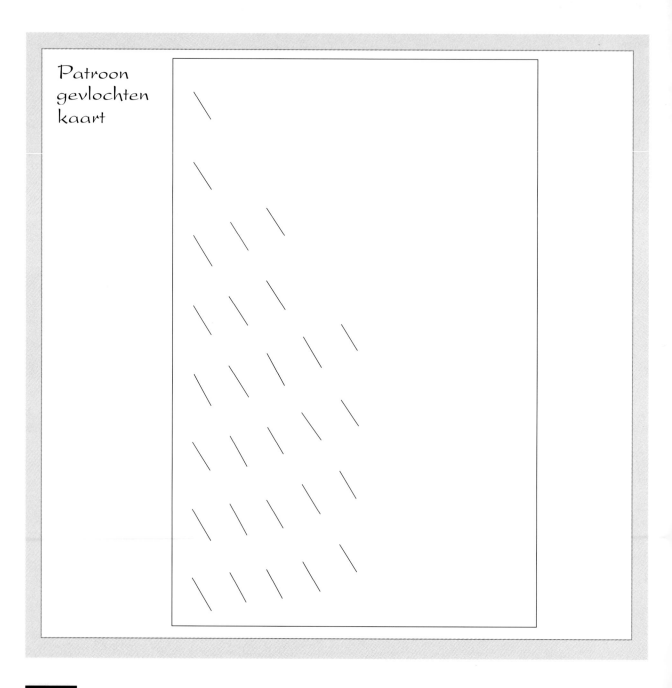

Patroon
gevlochten
kaart

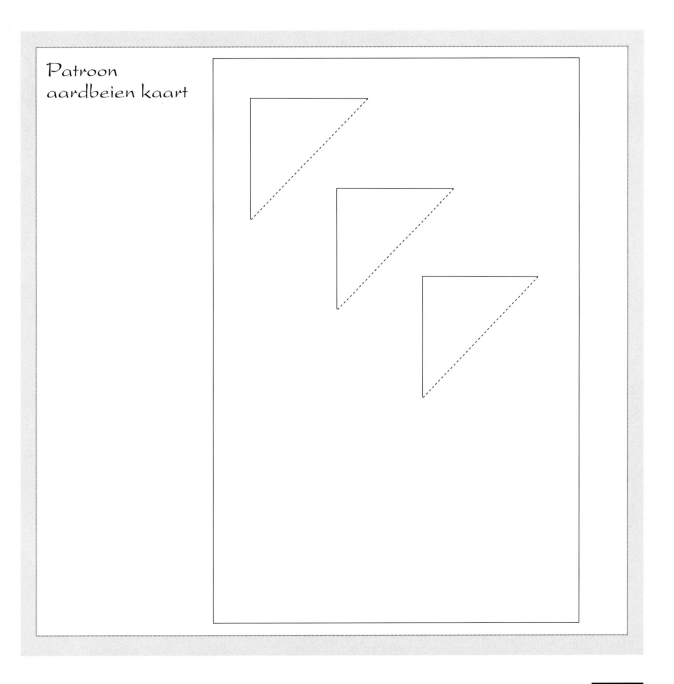

Patroon
aardbeien kaart

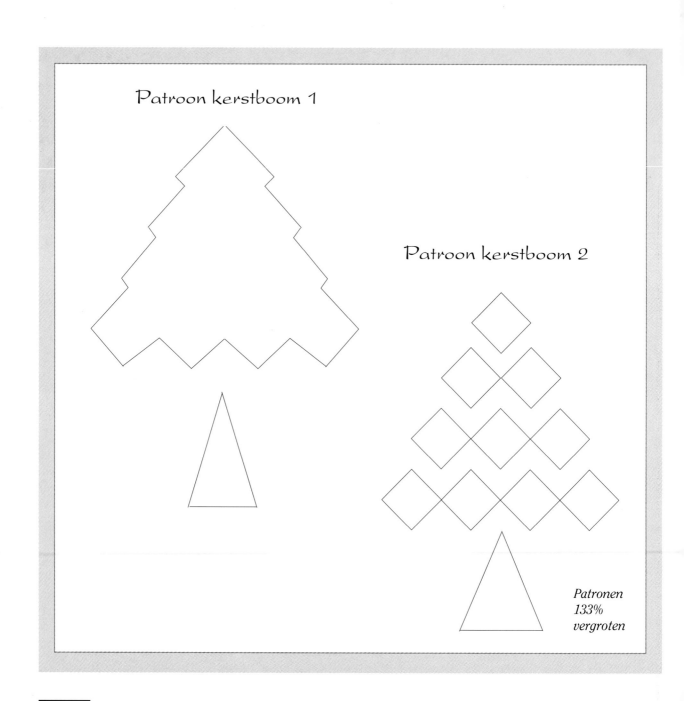

Patroon kerstboom 1

Patroon kerstboom 2

Patronen 133% vergroten